KB096702

비녀(簪)

비녀(簪)

발　행 | 2024년 01월 05일
저　자 | Seo A
펴낸이 | 한건희
펴낸곳 | 주식회사 부크크
출판사등록 | 2024 .01.03.(제2024-1호)
주　소 | 서울특별시 금천구 가산디지털1로 119 SK트윈타워 A동 305호
전　화 | 1670-8316
이메일 | leece5705@naver.com

ISBN | 979-11-410-6438-9

www.bookk.co.kr

비녀(簪)

Seo A 지음

목차

Prologue

"왓씨 바쁘다 바빠! 엄마, 왜 나 안 깨웠냐고!"
"가시나야! 밥 먹고 가!!"
"아 늦었는데 뭔 밥이야!"

내 이름은 윤소원이야.
소원을 말해봐 할 때 그 소원.

아, 요즘 애들은 소녀시대 모르려나? 아무튼 그 소원이야. 지천고 재학 중인 말괄량이 18세 소녀!

"어? 윤소원 오늘은 지각 아니네?"

"당연하지! 내가 지각하는 거 봤냐?"

"애가 아침부터 뭐라는 거야. 아무튼 빨리 체육복으로 갈아입고 와. 1교시 체육이야."

"오키~ 아! 오늘도 끝나고 노래방 갈 거지?"

"당연한 거 아니야?"

시간이 흘러 드디어 기나긴 7교시가 끝났다.

나는 평소와 똑같이 친구들과 노래방으로 가고 있었다.

"내 첫 곡은 안예은에 창귀다!"

"왜?"

"요즘 내가 저승 관련된 웹툰을 보거든? 그때 창귀 들으면서 보면 몰입도 확 올라가!"

"아니… 그거랑 오늘 노래방에 가서 부르는 거랑 무슨 상관이냐고…"

"상관있지! 야야, 신호등이 바뀌었어. 빨리 가자!"

"야, 뛰지 마!!"

"뭐 어때! 초록 불인데!"

이때 나는 뛰지 말았어야 했다.

"윤소원!!"

쾅!

***

사고가 난 횡단보도 앞에 서 있던 태형이 윤기에게 말했다.

"형님! 유소원이라는 아이를 찾으면 돼요!"
"뭐? 윤소원?"
"네!"
"저기 있네. 데려가자."

태형은 소원이 쓰러져있는 곳으로 걸어가며 말했다.

"뭐야? 즉사야? 대박이네."
"안타깝군."

태형은 쓰러져있는 소원의 앞에 쭈그리고 앉았다.

"형님, 안타까운데 영혼 좀 넣어주면 안 돼요?"
"얌마 그건 염라가 와도 못해."
"에이 아깝다~"
"뭐해, 빨리 데려와. 망자 관리자들이 삼도천에서 기다려."
"네네~"

'무슨 말소리가 계속 들리는데 대화가 좀 웃기네? 웃으면 안 되는데. 근데 이거 무슨 상황이지? 앞이 안 보여.'

태형은 소원을 들쳐업고 버스정류장에 앉아있는 윤기에게 다가갔다.

'좀 차가운데? 누구지?'

"형님! 데려왔어요!"
"야, 깨워서 데려와야지. 영혼 그대로 들쳐업고 오면 어쩌자는 거야?"
"너무 곤히 자고 있던데?"
"죽었으니까 당연하지 멍청아. 야, 거기 너 일어나. 의식 있는 거 다 알아. 그냥 눈 떠."

'눈을 떠보니 웬 꽃돌이들이… 나를 둘러싸고 있어!! 이건 꿈인가? 아니면… 이게 바로 소설 빙의?!'

"와씨… 개 존잘…"

'빙의글 덕후 N년차. 이건 100퍼 빙의다!'

소원의 감탄에 가만히 앉아있던 윤기가 물었다.

"존... 잘..? 그건 어느 나라 말이지? 거란족 언어인가?"
"이거 무슨 소설에 빙의된 거예요? 둘 중에 누가 남주 인데요? "

'아, 등장인물이면 모를 듯.'

당연히 소설에 빙의 됐겠거니 생각하며 아무 의심 없이 주변을 둘러보자, 한 치 앞도 보이지 않는 검은 공간이었다.
주변을 연신 두리번거리는 소원을 한참 쳐다보다가 윤기는 깊은 한숨을 내쉬며 아득한 어둠을 향해 걸어갔다. 그 뒷모습을 본 태형이 소원의 손을 잡고 윤기를 다급히 쫓아갔다.

"형님! 같이 가요!"
"형님? 저분이 더 형이에요? 근데 여긴 어디에요? 저희 어디가요? 설마… 사랑의 도피? 전 좋아요!"
"하… "

'설탕 같이 생긴 사람이 한숨 쉰 것 같은데? 뭐 기분 탓이겠지!'

"같이 가요!"

***

열심히 걷자 어떤 큰 강이 보였는데 조금 으쓱한 분위기였다. 꼭 귀신이 나올 법한 강.

'안개가 좀 많네? 여긴 도대체 어디지?'

태형이 배 옆에 서 있던 사람을 보곤 반갑게 달려갔다.

"지민아, 여기 유소원!"
"에? 윤소원이라고 말한 거 맞죠?"
"어어~ 맞아!"

'내 말 안 듣고 말한 것 같은데. 기분 탓이겠지?'

윤기가 소원을 가리키며 말했다.

"애 말 개 많아. 빨리 데려가. 시끄러워."
"네."

나는 피부가 하얗고 검은 옷을 입은 또 다른 꽃돌이에게 넘겨졌다.

"빨리 와."

소원은 지민과 함께 배를 타고 강을 건너고 있었다. 소원은 서늘한 공기에 추운지 팔을 쓸어내리며 묵묵히 앞만 응시하고 있던 지민에게 말했다.

"점점 추워지는 것 같은데… 그 겉옷 좀 벗어주시면 안 돼요?"

나의 물음에 하얀 꽃돌이는 차갑게 무시한 채 앞만 바라봤다.

"근데 저희 진짜 어디 가요?"
"저승."
"…네?"

'저승? 뭐지? 또라이인가? 아니면 신종 사기? 개 잘생겼는데 사기꾼인가? 잘생긴 사기꾼이 존재해? 어째서?'

지민은 들려오지 않는 대답에 뒤를 돌아보자 심각한 얼굴로 골똘히 생각하고 있는 소원이 보였다.
지민은 아까까지만 해도 뭐가 그리 신기한지 이리저리 조잘대며 떠들던 소원이 심각해지니 살풋 웃음이 나왔다.

'감정이 다 드러나는 아이는 또 오랜만이네.'

.

.

.

.

《저승》

이름-김남준 (조선시대 때 사망)
나이-1000살 추정.
직급-저승 관리자
특이점-염라 욕 많이 함.

이름-김석진 (조선시대 때 사망)
나이-1300살 추정
직급-망자 관리자
특이점-삼도천에 오는 고양이랑 잘 놂.

이름-민윤기 (조선시대 때 사망)

나이-1200살 추정

직급-차사

특이점-나무밑 그늘만 있다면 민윤기 전용 침대.

이름-정호석 (조선시대 때 사망)

나이-1000살 추정

직급-의원

특이점-저승인 치곤 너무 해맑음. 가끔 천국 같음.

이름-박지민 (일제강점기 때 사망)

나이-900살 추정

직급-망자 관리자

특이점-츤데레.

이름-김태형 (일제강점기 때 사망)

나이-900살 추정

직급-차사

특이점-마냥 해맑음.

이름-전정국 (일제강점기 때 사망)
나이-750살 추정
직급-죄수 관리자
특이점-어딘가 나사 하나 빠짐.

성위관 盛位館
소속: 염라/김남준/정호석

호련관 瑚璉館
소속: 김석진/민윤기/박지민/김태형
부멸관腐蔑館
소속: 전정국

낙월강落月河
: 비밀 아지트

.
.
.
.
.

《Behind》

염라: 어서와~ 저승은 처음이지?

남준: 대왕님? 그거 제 대사 아닙니까?

염라: 남주나 시끄러. 넌 일이나 해.

비녀(簪)

‘내가 어쩌다 여기에 오게 된 거지?’

“하… 그 형님은 왜 일을 잘못해서는…”

‘어쩌다 이런 곳에..!’

　의자에 앉아 훅 다가오는 현실에 절망하며 자신을 바라보는
소원의 눈빛에 정국이 말했다.

"왜 계속 날 쳐다보는 것이냐."

"저기… 여기가 진짜 저승이에요? 아까 그분들이랑 아는 사이인 건가요? 그럼 여기 있는 사람들 전부 저승사자인 거예요? 원래 저승엔 잘생긴 사람이 이렇게 많아요?"

분명히 절망하고 있던 얼굴이었는데 이상한 말만 해대는 소원을 보며 정국은 신기해 물었다.

"너는 저승에 있는 게 안 무섭느냐?"

"뭐 어때요! 나 안 죽었다면서요. 그리고 이렇게 잘생긴 사람들이 많은 곳이라면 그런 건 상관없어요! 완전 눈 호강 제대로. 이러다 시력이 거의 뭐 몽골인 되겠어요."

'근데 저승은 죽은 사람이 오는 곳이잖아. 잘생긴 사람들을 계속 보는 건 좋지만… 설마 못 돌아가는 건 아니겠지..? 그건 좀…'

그때 생각에 잠겨있는 소원의 뒤에서 무뚝뚝한 말소리가 들렸다.

"이제 어떡할까 애를."

벽에 기대있던 윤기의 차가운 일침에 정국은 머리를 쓸어올리며 말했다.

"이런 적은 처음이라... 태형이 형님은 남준이 형님한테 보고 올렸대요?"
"아마 지금쯤 보고 다하고 여기로 달려오고 있을걸?"

윤기의 말이 끝나자마자 굉음이 들리며 腐蔑館(부멸관) 문이 열리고 태형은 소원에게 달려갔다. 그런 소원의 앞을 가로막은 것은 윤기였다.

"저 왔어요~!"
"넌 뭘 잘했다고 웃으면서 기어들어 와."
"에이 전 제대로 말했다니까요? 형님께서 잘 못 알아들으신 거죠!"

윤기는 마냥 해맑은 태형의 말에 환멸을 느낀 듯 한숨을 쉬며 말했다.

"보고는? 남준이가 뭐래."
"염라한테 이야기하고 올 테니까 조금만 기다리래요!"

태형의 말에 한숨을 쉬던 정국은 뒤에 있는 창살을 주먹으로 치며 말했다.

"시끄럽다. 조용히 있어."

정국의 말에 창살 안에 있던 죄수들이 놀라며 몸을 움츠렸다. 죄인들을 한번 둘러본 다음에 정국이 태형과 윤기에게 말했다.

"근데 왜 제가 일하는 곳에서 싸우고 있는 겁니까? 여기 죄수들 감옥이라고요. 싸울 거면 나가서 싸워요."
"그럼, 쟤는 어떡해. 계속 腐蔑館(부멸관)에 놔 둘 수는 없잖아."

윤기의 말에 소원은 움찔했다.

"너 저기 들어갈래?"

정국이 손으로 감옥을 가리키며 말했다.

"예?! 싫어요!! 저길 제가 왜 들어가요? 저 잘못한 거 없다구요!"
"농담이다."
"..."
"瑚璉館(호련관)에 빈방이 있었나?"

윤기는 태형의 말에 벽에 기대고 있던 몸을 일으켰다.

"瑚璉館(호련관)엔 왜? 저 인간 거기에 놔두게?"
"거기 말곤 갈데없지 않아요? 계속 정국이 일하는 곳에 계속
둘 수는 없잖아요."

태형의 말에 윤기는 얼굴을 살짝 찌푸리며 고개를 숙여 작게
한숨을 쉬었다.

"하… 야. 인간. 빨리 따라와."
"뭐야. 내 이름은 윤소원이거든요?"
"그래. 인간. 빨리 와. 안 오면 두고 간다."

윤기, 태형, 정국이 腐蔑館(부멸관)을 나가자, 소원도 허겁지
겁 의자에서 일어나 세 사람을 따라 나갔다.

"같이 가요!"

***

세 사람을 따라 나와 한참을 걸으니 어느새 瑚璉館(호련관)에
도착했다.

"저 여기서 지내는 거예요? 진짜?"

"아직 남준이한테 말이 없으니까 염라 명령 떨어질 때 까지 여기서 지내."

윤기의 말에 마침 방에서 나오던 지민을 바라보며 소원이 말했다.

"그럼 저 하얀 꽃돌이님이랑 같이 지내는 거예요?"

소원의 말에 지민은 황당해하며 말했다.

"애 아까부터 계속 나한테 뭐라는 거야. 뭐 하얀 꽃돌이?"

"하얀 꽃돌이 맞잖아요! 그럼 이름이 뭔데요?"

"하… 박지민."

"난 김태형이야!"

"…"

"설탕 아저씨는 왜 안 알려줘요?"

소원의 설탕 아저씨 발언에 태형은 미친 듯이 웃고 있었고 지민은 무표정을 유지하려 노력 하는 것 같았으나 입 꼬리가 조금씩 씰룩거리고 있었다.

"…아저씨?"

"네!"
"…"

윤기는 굳은 얼굴로 멍하니 소원을 쳐다봤다. 보다 못한 태형이 웃다 말고 대신 이름을 알려주었다.

"민윤기야. 형님 성함."
"오! 완전 이름까지 설탕 같으시네요."

윤기는 고개를 저으며 한심하단 표정으로 소원에게 말했다.

"이름까지 설탕 같은 건 뭐냐… 대체."

윤기의 한탄을 가볍게 무시한 소원은 지민에게 물었다.

"그런 게 있어요. 그나저나 저는 어디로 들어가요?"
"인간이 지낼 곳이 여기 있다고 생각해?"
"있으니까… 들여보내 준 거 아니에요?"
"허…"

생각보다 당돌하게 대답하는 소원에 지민은 잠시 애가 아직 현실파악을 못 했나 생각했다.

"그럼! 맞지 맞지. 너는 저어기 끝 방에 들어가면 돼."

태형이 가리킨 곳을 본 소원은 "아..!" 하고 작게 탄식하며 그곳으로 천천히 걸음을 옮겼다. 걸어가며 주위를 둘러보는 소원의 얼굴엔 무서움이 아닌 신기함으로 가득했다.
소원이 방 안으로 들어간 것을 본 정국이 말했다.

"저 인간 너무 태평해."
"그러게… 나도 좀 신기해."

태형의 대답에 지민이 말했다.

"남준이 형님은 언제 오시는 거야?"
"몰라, 좀 걸리시네. 일단 가자, 꽃돌아."

태형의 놀리는 어투에 지민이 얼굴을 찡그리며 말했다.

"…그렇게 부르지 마."

***

盛位館(성위관)의 안쪽에서 업무를 보는 염라는 자신보다 10배는 큰 의자에 앉아있다.

남준은 방 안으로 들어서자 검고 무거운 기운을 내뿜고 있는 단발머리의 소녀를 마주했다.

"그래서. 인간 여자아이가 지금 저승에 있다고?"
"…예. 일단 瑚璉館(호련관)에 데려다 놓았다는 연락을 받았습니다."

남준의 말에 얼굴을 찡그리며 골치 아프다는 듯 검지로 머리를 문지르며 말했다.

"하… 이런 일은 처음인데. 그 인간 여자아이는 지금 혼수상태라고 했나?"
"예. 일단 瑚璉館(호련관)에 머물게 하고 다른 방도를 찾아보겠습니다."

염라의 집무실에서 나온 남준은 바로 瑚璉館(호련관)으로 향했다.
瑚璉館(호련관)에 들어선 남준은 곧바로 태형을 찾았고 그렇게 마주한 태형에게 소리쳤다.

"김태형 네 이놈!!"
"아! 형님! 그 영감님 말투 좀 고치라니까?!"
"네가 지금 정녕 제정신인 게냐? 내가 조심하라고 그리 일렀

거늘! 이 일을 어찌 처리할 것이냐!"

큰 소리에 소원이 문을 열고 나오자 태형의 귀를 잡아당기고
있는 남자가 보였다.

'수능 만점 받게 생긴 저분은 누구시지?'

갑자기 열린 문에 남준과 태형의 고개가 문 쪽으로 돌아갔다.
남준은 자신을 보고 놀란 눈으로 쳐다보고 있는 소녀가 윤소
원이라는 것을 눈치채고 소원에게 다가갔다.

"네가 윤소원?"
"네!! 수능 만점 받게 생기신 분은 성함이 어떻게 되세요?!"

꽤나 무섭게 다가가 물었다고 생각한 남준과 다르게 반짝거리
는 눈으로 저를 보며 곧바로 대답하는 소원에 놀란 남준이었다.
소원의 말을 되짚어 보던 남준은 의아한 눈으로 소원에게 물
었다.

"수… 능…? 그게 뭐지? 수행 능력 같은 건가?"
"비슷해요! 수능은 대학 수학 능력 시험 줄임 말 이에요!"
"도대체 뭐가 비슷하다는 건지 잘 모르겠군. 난 김남준이다."
"반가워요 남준님! 근데 태형님이랑 뭐하고 계셨어요?"

소원의 말에 남준이 태형을 째려봤다. 순간 등골이 오싹해진 태형이 도망가려고 하자 남준이 말했다.

"어딜 도망가. 아까 못 데려왔던 유소원씨 데려와야지. 또 일을 잘못 처리하면 당분간 瑚璉館(호련관)이 아닌 腐蔑館(부멸관)에서 지내게 될 것이야."

"아… 알겠다구요. 요즘 망자들처럼 형님도 신식 말투로 좀 바꿔봐요! 인간! 아까 뭐라 그랬지? 존잘?"

"네! 그건 존나 잘생겼다는 뜻이에요! 아무한테나 안 쓰는 아주 고급 단어죠!"

"음… 대충 엄청나게 잘생겼다는 뜻이네. 뭐! 어쨌든 전 망자 데리러 가볼게요!"

"윤기 형님 나무 밑에 있는지 확인하고 있으면 꼭 데려가!'

"예~"

태형이 떠나고 남은 자리에는 남준과 소원만이 서 있었다.

잠깐의 정적 후 남준은 조금의 걱정을 실은 어투로 소원에게 물었다.

"넌 두렵지 않으냐?"

"뭐가요?"

"여긴 저승이지 않으냐. 다신 못 돌아갈 수도 있다."

"음… 만약 못 돌아가면 여기서 계속 같이 살 수 있나요? 그럼 상관없는데!"

"우리는 지은 죄만큼 여기서 일하다가 환생하게 되어있다. 그러니 계속 여기서 같이 살 수는 없다."

"그럼, 죄수들은 왜 여기서 일을 하지 않고 지옥으로 보내져요?"

"우리는 전부 나라를 지키다 죽은 사람들이다. 나라를 지키고 백성을 지키려다 보니 살인을 저지르게 된 것이지. 이 일을 하는 것은 그것에 대한 속죄란다."

"아… 그렇구나. 그럼 혹시 여기 독립운동가분들도 계신 건가요?"

"그럼. 있고말고."

"와… 그럼 저 지금 엄청 대단한 분들이랑 있는 거네요."

소원은 왠지 모르게 가슴 깊은 곳이 울렁이는 것을 느꼈다.

"그럼, 남준님도 여기 瑚璉館(호련관)에서 지내시는 거예요?"

남준은 소원의 말에 고개를 저었다.

"나는 盛位館(성위관)에서 지낸다. 그곳에 염라대왕님이 계시기 때문에 저승 관리자인 내가 곁에 있어야 하거든."

"아하."

남준은 소원을 보다가 고개를 올려 소원의 머리 위쪽을 보았다. 정확히는 소원의 뒤를 보았다.

"형님? 오셨네요."

뒤에서 걸어오던 지민은 남준을 보고도 변함없는 무표정으로 남준을 반겼다.

"어 그래 지민아. 이제 삼도천 가는 거야?"
"네."
"오늘은 좀 늦게 가네."
"네. 누구 때문에 일이 생겨서요."

지민은 소원을 쳐다보며 말했고 소원은 기분 나빴지만 나서지 않았다.

"애는 내가 최대한 빨리 돌려보낼 방법 찾아볼 거니까 조금만 고생해 줘."
"네. 그럼 전 이만 가볼게요."

'얼굴은 꽃돌이 같은데 뭐가 저렇게 차가워? 그래서 더 매력 있는 거지만…'

"나는 처리할 일이 산더미라서 이만 가봐야겠다. 잘 지내고 있으렴."

"넵!"

瑚璉館(호련관)을 나가는 남준의 뒷모습을 보던 소원은 호기심 가득한 표정으로 발길을 옮기며 생각했다.

'심심한데 구경이나 가볼까?'

소원은 瑚璉館(호련관)을 둘러보다가 조심스럽게 문 쪽으로 발길을 재촉했다.

'아주 조금만 둘러보다 오는 거야, 아주 조금만.'

소원은 조심히 문을 열고 밖으로 나왔다. 밖에는 어둡고 시린 공기 속에서 하얀 안개가 은은하게 피어있었다.

"와… 생각보다 많이 어둡진 않네."

소원은 작게 속삭이며 사방을 둘러보았다. 밖은 흔히 사극 드라마에서 보던 것과 비슷한 외관이었다.

'덕분에 무섭다는 생각은 덜 드네.'

계속 주위를 둘러보며 걷다가 소원은 작은 고양이 소리를 들었다.

"여기도 고양이가 있나?"

소리가 나는 방향대로 조심스레 걸어가다 보니 아득한 안개 너머로 한 사람이 보였다.

'저 사람은 아까… 배에서 내렸을 때 봤던 사람인데?'

"아깐 내가 일이 있어서 마중을 못 나갔네."

'저분은 고양이를 좋아하시는구나.'

한참을 고양이와 노는 남자를 바라보다 몰래 瑚璉館(호련관) 밖에 나왔다는 사실이 생각나자 쭈그리고 앉아있던 몸을 일으켰다. 그리고 뒤돌아가려던 찰나 뒤에서 사람의 기척이 느껴졌다.

"넌 아까 그 아이 맞지? 지금 여기서 뭐 하고 있니?"

주변은 여전히 어둡고 바로 뒤에서 말하는 목소리에 순간 소름이 돌아 소원의 몸이 굳었다.

그러다 갑자기 뒤에서 웃는 소리가 들렸다. 어리둥절해진 소
원의 앞으로 뒤에서 있던 남자가 나왔다.

"미안. 어떤 반응일지 궁금해서. 많이 놀랐어?"
"진짜 심장 떨어지는 줄 알았다구요… 원래 저승 사람들은 장
난 많이 쳐요?"
"음? 나 말고도 장난친 사람이 있어?"
"네. 그 태영? 태형? 님이요."
"그 녀석이라면 장난치고도 남지. 어쨌든 瑚蓮館(호련관)으로
돌아가려는 생각이었지? 데려다줄게."

해맑게 웃으며 앞장서서 가는 석진을 보며 소원은 생각했다.

'역시 잘생긴 사람은 마음씨도 곱구나…'

뒤를 돌아보며 빨리 오라는 석진의 말에 소원은 석진 쪽으로
뛰어갔다.
나란히 걷기만 하다가 문득 다정한 목소리가 소원에게 들려왔
다.

"저승은 위험한 곳이니 될 수 있으면 개인행동은 자제하는 게

좋아. 무엇보다 너처럼 살아있는 인간이라면 더더욱."

"네. 그럴게요. 그나저나 아까 그 강에 서 있던 분 맞죠?"

대화가 시작된 김에 궁금했던 것을 묻는 소원이었다.

"강? 아, 삼도천 말하는 거구나. 그럼 나 맞아."

"역시... 잘생긴 사람은 기억이 잘 난단 말이야..."

소원은 작게 속삭였지만 석진은 그 말을 들은 듯 작게 웃고는
소원에게 얼굴을 내밀며 말했다.

"나 잘생겼어?"

"예? 아... 엄... 네."

갑작스런 얼굴 공격에 잠시 넋이 나갔던 소원은 빠르게 정신
을 차린 뒤 대답했다.

'아... 진짜 얼굴 완전 반칙 아니냐고!!'

석진은 소원의 반응에 웃으며 말했다.

"너 표정에 다 드러나는 거 엄청 웃기다. 이름이 유..? 소원이
었나?"

"윤! 소원이에요. 존잘님 이름은 뭔지 물어도 돼요?"

"당연하지! 내 이름은 김석진이야. 근데 존잘이 뭐야?"

"음… 그건 태형님한테 들으시면 돼요!"

소원은 뭐가 그리 좋은지 해맑은 웃음을 지으며 앞으로 걸어 갔다.

석진은 갑작스레 저승으로 오게 되었는데 마냥 해맑은 소원이 한편으론 걱정되었지만 지나가는 잘생긴 사람마다 눈빛을 빛내 는 것을 보니 헛웃음이 나왔다.

'그래도 밝아서 다행인 건가.'

석진은 소원을 瑚璉館(호련관)에 데려다주었다. 그러곤 소원 이 들어가는 뒷모습을 확인한 후 삼도천으로 걸음을 옮겼다.

고요한 저승에 밝은 사람이 들어왔다고 생각하며 원래 저승으 로 와야 했던 '유소원'을 데리러.

   ***

瑚璉館(호련관)에 들어선 소원은 자신의 방으로 들어가 침대 에 누웠다.

"…"

"하… 현실이 확 느껴지네. 갑자기 혼자 있으니까. 하긴 뭐 너무 비현실적인 비주얼들이랑 있었고 무엇보다 여기가 저승… 이라는 게 바로 받아들이긴 힘든 현실이긴 해. 그래도 나… 돌아갈 수 있겠지…? 잠이나 자자…"

소원은 복잡한 생각을 접곤 바로 잠에 빠져들었다. 다음 날 아침에 무슨 일이 일어날지 모른 채로.

***

평화로운 어느 저승의 아침.

"꺄아아아아악!!! 누구야!!!"
"아아아아악!!"

비명으로 시작하는 저승의 아침.
참 좋죠?

.

.

.

.

《Behind》

지민: 저 인간은 왜 날 하얀 꽃돌이라고 부르는지 나 참…
윤기: 내가… 아저씨… 맨날 도련님 소리만 들었는데 아저씨.?
아저씨라니…
염라: 호호호 귀여운 아이가 들어왔네. 남주나! (남준: 부르지
마세요. 바쁩니다.) 쳇, 매정한 놈.

***

저승에서 맞이하는 아침 첫날!
누군가 누워있는 소원을 쳐다보며 서 있는데… 소원은 놀란
나머지 자신이 베고 있던 베개를 집어 휘두르며 소리쳤다.

"누구야! 누군데 여기 있는 거야!!"
"야! 나라고! 그만 때려!!"

소원은 들려오는 익숙한 음성에 베개로 때리는 것을 멈춘 후
상대를 보자 내 방 침입자는 하얀 꽃돌이었다.

"엥? 하얀 꽃돌이님이 왜 여기 계세요?"

내 말에 지민은 머리와 옷을 털며 말했다.

"가위바위보에서 져서 온 거야. 그리고 하얀 꽃.. 돌이 그 말은 안 하면 안되겠나..?"

지민은 살짝 짜증이 섞인 목소리로 말했다.

"그럼 이름으로 부를까요?"
"그것도 싫긴 하다만…"
"그럼, 꽃돌이로…"
"…지민이라 불러."
"네! 지민님!"

내 말에 지민은 깊은 한숨을 내쉬며 말했다.

"하… 다들 落月河(낙월강)에서 기다려. 어서 옷 갈아입고 나와."
"앗… 근데 저 옷이 이것뿐인데…"
"음… 잠깐 기다려."

지민은 그대로 방을 나가더니 곧 화려한 한복과 함께 돌아왔다.

"우와… 이렇게 예쁜 한복은 드라마에서만 보던 건데.!"

"드라마가 뭔 진 모르겠지만 일단 어서 갈아입어. 다들 기다린
다."

"넵!"

지민이 방을 나가고 난 옷을 이리저리 살펴봤다.

"와… 자수 하나하나가 진짜 예술이네."

─헛소리하지 말고 빨리 입고 나와!

"예예. 참을성이 없으시네."

─다 들린다.

"쳇."

옷을 갈아입고 거울 앞에 서니 마치 내가 드라마의 주인공이
된 것 같은 느낌이 들었다.

치마를 이리저리 보다가 머리카락도 땋아서 손목에 있는 고무
줄로 묶었다.

"한복 처음 입어보는 데 나쁘진 않네."

치맛자락을 손에 쥐고 문을 열고 나가자, 벽에 기대서고 있는 지민의 모습이 보였다.

"지민님! 저 어때요?"

"..."

"지민님? 저 별로예요?"

"...린다."

지민의 작은 목소리에 소원이 되물어보자 지민이 말했다.

"안 어울린다고! 어서 가자."

내가 잘못 본 걸까? 분명 얼굴이 빨개졌었는데?

"아, 같이 가요!"

***

"저 왔어요!"

"한복 잘 어울리네?"

"이거 지민님이 가져다주셨어요!"

落月河(낙월강)에 도착하자마자 제일 먼저 보이는 것은 석진이었다.

"다른 분들은요?"
"저기 오네."

뒤돌아보니 남자 5명이서 걸어오고 있었다.

"처음 보는 분도 있네요?"
"맞아. 쟤는 정호석이야. 盛位館(성위관)에서 일하는 의원!"

석진의 말에 호석은 소원에게 다가오며 기분 좋은 미소를 지어 보이며 말했다.

"반가워! 난 정호석이라고 한다!"
"반가워요! 전 윤소원이라고 해요!"
"아! 남준이가 말했던 소녀가 너구나? 생각보다 더 귀엽게 생겼네."
"정말여? 호석님도 존잘이세요!"

소원의 해맑은 말에 호석 또한 해맑게 웃으며 말했다.

"나 존잘 알아! 태형이한테 들었어. 엄청 잘생겼다는 뜻이라며?"

소원은 행복해지는 미소를 짓는 호석에 마음이 편해지는 것을 느꼈다. 그러곤 주위를 둘러보며 말했다.

"근데 여기는 그 삼도천이라는 강이랑은 분위기가 다르네요?"
"그치? 여기는 그냥 편하게 와서 쉬는 곳이라고 생각하면 돼."

태형의 말에 소원은 고개를 끄덕이곤 강가로 가 물에 손을 담가 보았다.

"음?"
"왜 그래?"
"여기 물은 차갑지 않네요?"
"그런가?"

강 옆에 있는 평상으로 걸어가는 태형을 뒤따라간 소원은 강가 쪽을 볼 수 있도록 안쪽으로 들어가 앉았다. 그 때문에 강가 말고도 7명을 동시에 다 볼 수 있게 되었다.

"아~ 기분 좋다."

기분 좋게 부는 바람에 소원은 잠시 눈을 감고 불어오는 바람을 느꼈다. 금방 눈을 떴기 때문에 아무도 못 봤겠거니 하고 있었는데 지민과 눈이 마주쳤다.

'아, 마주쳤다. 근데 저 눈빛은 뭐지?'

이내 지민은 고개를 돌려 눈을 피했고 소원은 지민의 눈빛을 마주하고 나니 이상하게 가슴 한쪽이 뻐근해지는 것 같은 느낌에 가슴께를 꾹 눌렀다.

'기분 탓이겠지.'

태형의 평상 위로 쿠키와 찻잔을 올려놓으며 말했다.

"이거 내가 주방장한테 부탁해서 가져온 다과야!"
"우와 저승에도 쿠키는 있네요?"

소원의 말에 모두 갸웃하더니 쿠키가 뭐냐고 남준이 물었다.

"아… 쿠키는 이런 달콤하고 바삭한 다과를 쿠키라고 해요!"
"그렇구나!"
"맞다! 저도 저 인간에게 배운 말이 있습니다!"
"그게 뭔데?"

남준의 물음에 태형은 으쓱이며 말했다.

"저보고 존잘이라고 하더라구요?"
"존...잘?"

태형의 발언에 나머지 5명이 그것이 무엇이냐는 듯이 소원을 바라봤다.

"하하... 존나 잘생겼다는 뜻입니다..."
"앞에 오는 단어의 어감이 좋지 않은 듯한데?"

윤기가 날카롭게 되묻자 나는 식은땀을 흘리며 재빠르게 대꾸했다.

"존...나는 엄청 이라는 뜻입니다!!"

'이렇게 말해도 괜찮겠지.? 뭐 어차피 사실이니깐...'

"그렇군."

'뭐야. 이렇게 바로 수긍한다고?'

윤기는 그저 태평하게 쿠키를 먹고 있을 뿐 이었다.
소원이 황당해 하고 있을 때 앞에 앉아 있던 정국이 해맑게 웃으며 말했다.

"형님! 이 쿠키 존나 맛있네요. 그 주방장 승진이나 시킬까요?"

정국의 말에 벙쪄있는 소원을 아는지 모르는지 석진이 한술 더 뜨며 말했다.

"그것도 나쁘진 않겠네. 주방장도 존나 좋아할거다!"

하하하…
이런 응용력 좋은 바보들…

"그만해."

역시 남준님! 수능 만점 받게 생기신 분은 뭐가 달라도 달라!

"너네 존나 시끄럽다."

'하… 진짜 바보들… 이래서 저승은 어떻게 꾸려나가시는 거래? 아무리 내가 정확하겐 안 알려줬다곤 하지만…'

"그 바보 천치를 보는 표정은 뭐냐."

"아… 아니거든요! 설탕 아저씨가 잘 못 본 거예요!"

소원의 아저씨 발언에 또 한 번 이마를 짚는 윤기였다.

"또 아저씨…"

윤기는 표정에서 온갖 기분 나쁨을 다 뿜어댔지만, 소원은 애써 모르는 척하며 차만 홀짝였다.
소원은 옆에 장난기 많은 사람의 끝없는 질문 탓에 한 곳에만 집중할 수 없었다.

"야야 또 다른 신박한 단어 없냐?"

태형의 반짝거리는 눈에 소원은 잠시 생각하더니 뭔가 생각 난 듯 말했다.

"예? 아… 음… 알잘딱깔센이 있긴 한데."

소원의 말에 태형, 정국, 석진, 호석이 차례대로 말했다.

"알..자따꿈발?이 뭐야."
"바보야, 알자따꿈발이 아니라 알잘깔따쎄."
"에? 알자따까쎄 아냐?"

"아닌데! 나도 정국이랑 똑같이 들었어!"

소원의 말을 자신들만의 언어로 변형시켜 떠들어대는 4명을 한심한 눈빛으로 가만히 지켜보던 소원이었다. 그것도 잠시 곧이어 차분하고 단호한 목소리가 소원의 귀에 들려왔다.

"…알잘딱깔센이야. 그거 다 아니고."

지민의 말에 소원은 눈을 동그랗게 뜨며 고개를 세차게 끄덕였고 나머지 6인도 소원의 반응을 보고는 이내 *"아~"* 하며 탄식을 뱉었다.

"이야~ 지민이~ 똑똑한데? 저걸 한 번에 알아듣다니! 역시 내 동생."

지민의 머리를 만지며 자랑스러워하는 석진을 뒤로하고 소원은 다시 입을 열었다.

"자아 잘 들어요. 이거 의외로 헷갈리니까. 알.잘.딱.깔.센!이란 *알, 알아서! 잘, 잘! 딱, 딱! 깔, 깔끔하고! 센, 센스 있게!* 라는 뜻이에요. 그러니까 합쳐서 말해보면…"
"알아서, 잘, 딱, 깔끔하고, 센스 있게."

소원의 말에 뒤를 이은건 아무관심 없어 보이던 지민이었다. 지민은 아무렇지 않게 앞에 있던 찻잔을 들었다.

그때 남준이 말했다.

"그럼 그 센스는 뭔데?"

"음… 그건 눈치? 라고 알고 있으면 돼요!"

"보통 그런 학문을 뭐라고 불러?"

"학문이라 그러면 좀 거창하긴 한데 '신조어'라고 해요!"

내 말에 석진과 남준은 학문적 관심을, 호석과 태형, 정국은 재미를, 지민과 윤기는 흘러가는 대화를 가만히 듣고 있었다.

소원은 앞에서 신나게 이야기 하고 있는 남자들 사이에 고요히 흘러가는 강물을 바라봤다.

'내가 진짜 저승에 오긴 했나보네.'

"무슨 생각해?"

"예? 아 그냥 새삼 여기가 진짜 저승이구나 싶어서요."

"그걸 이제야 느끼고 있는 것이냐?"

"헤헤 그러게요."

남준과의 짧은 대화 후에도 소원은 계속해서 멍을 때리며 가

만히 앉아 있었다. 그런 소원의 얼굴 앞에 커다란 손이 정신 차
리라는 듯 흔들리고 있었다.

갑작스레 자신의 눈앞에 나타난 손에 놀란 듯 소원은 허리를
펴며 손의 주인을 쳐다보니 자신을 가만히 내려다보고 있는 정
국이 보였다.

"야 인간, 괜찮아?"
"아… 네. 괜찮아요. 잠시 현타가 와가지구…"
"…현타?"

난데없이 또 튀어나오는 신조어에 정국이 갸웃하자 소원은 친
절히 '현타'가 무엇인지 설명해 주었다.

"아! '현타'라는 건 현자타임의 줄임말인데 그냥 현실을 받아
들이면서 정신이 나간 거라고 생각하시면 돼요."

소원은 이 와중에도 신조어를 풀이해 주고 있는 자신이 웃겨
웃음이 나왔다.

그렇게 웃고 떠들다 보니 슬슬 몰려오는 졸음에 소원은 한 가
지 의문이 들었다.

"근데 오늘은 다들 일 없어요?"
"어?"

"아! 그러고 보니 벌써 교대 시간이구나!"

"멍청아, 교대 시간 이미 넘었거든. 빨리 일어나."

"아아! 윤기형 잠깐만여!"

정신없이 나간 윤기와 태형의 뒤로 남준과 호석도 일어났다.

"소원이 안녕~ 나중에 또 보자!"

"정호석 빨리 가자. 염라 화났겠다."

"다들 조심히 가세요~"

그렇게 4명이 사라지고 남은 건 소원과 석진, 지민, 정국이었다.

"정국이 넌 안가냐? 腐蔑館(부멸관) 관리인도 얼마 없는데. 니가 빠지면 우짜냐."

"에혀... 지인짜 가기 싫다. 존나 싫어!!!"

차를 마시던 소원은 푸읍! 하며 사레가 들었는지 기침을 연신해댔다.

'아니 저 사람이 왜 갑자기 또 '존나'를 쓰고 난리야. 괜한걸 알려 줬나..?'

"괜찮아?"

"크흠… 네. 이제 괜찮아요. 그… 정국님 바쁘신 것 같은데 가 보시는게 좋지 않을까요?"

"너까지 날 보내는 거냐? 알겠다… 이 몸이 없으면 돌아가지 않는 腐蔑館(부멸관)의 현실을 내 어찌 하겠느냐. 이만 가보겠다."

정국은 우는 시늉을 하며 갔지만 입은 장난기가 가득하게 웃고 있었기 때문에 다들 한심하게 쳐다볼 뿐이었다.

'저 사람 이미지가 원래 저랬나?'

처음 腐蔑館(부멸관)에서 만났던 정국을 떠올리곤 소원은 작게 웃었다.

"왜 웃어?"

"그냥 하루 만에 저승에 적응 한 것 같다는 생각?"

소원의 태평한 말에 석진이 미소를 지으며 말했다.

"일단 어서 가자. 저승의 밤은 추우니까."

"네!"

***

소원은 방으로 돌아와 입고 있던 한복을 벗고 씻은 후 침대에 누웠다.

"신기하다. 내가 저승 사람들이랑 같이 있다는 게."

소원은 오늘 있었던 일들을 계속 상기시키며 슬며시 잠에 빠져 들었다.

***

소원이 눈을 떠보니 거대한 한옥과 초가집들이 가득한 풍경이 시야에 가득 들어왔다.

'여긴 어디지? 저승과는 조금 다른 느낌인데?'

그때 한 도포를 입은 남자가 소원에게 다가왔다.

"솔연아."
"지민님..?"

'왜 지민님이… 여기 있는 거지?'

지민은 소원의 손을 잡은 채로 미소를 지었다.

'이런 미소도 지을 줄 아는 사람이었나?'

"솔연아. 무엇을 보고 있느냐. 가락지?"
"…네?"
"솔연아."

그때 지민의 말이 점점 멀어지고 앞이 흐릿해지더니 눈이 떠졌다. 눈을 뜨자 보이는 풍경은 자신이 지내고 있는 瑚璉館(호련관)의 방 안이었다.

"꿈인가?"

소원은 꿈 내용은 잘 기억나지 않지만 '솔연'이라는 이름은 뇌리에 박혀 계속 떠올랐다.

"왜 나를 그렇게 부른 거지? 뭐 꿈이니까!"

소원은 꿈일 뿐이라고 생각하며 침대에서 일어나보니 테이블 위에 입으라고 쓰여 있는 메모와 함께 있는 한복에 미소를 지으며 한복을 들고 화장실로 갔다.

어제 입었던 한복이 화려한 옷이었다면 오늘은 단아하면서도 세련된 옷이었다.

소원은 거울에 대고 이리저리 돌아보며 한복에 감탄했다.

"저승 한복 이승에서 팔거나 대여하면 대박 나겠다."

소원은 화장실에서 나오자마자 꼬르륵거리는 배를 움켜잡으며 방에서 나왔다.

소원이 나오는 소리에 바로 옆방인 태형이 웃으며 나왔다.

"어디가?"

"저 어제 쿠키랑 차밖에 안 먹어서 배고픈데 식당이 어디예요?"

"아~ 마침 나도 가려고 했었는데 같이 가자."

소원과 태형이 식당으로 들어가자, 나머지 6명이 다 모여 있었다. 소원은 비어있는 남준의 옆자리에 앉으며 서운하다는 어조로 말했다.

"왜 나만 빼놓고 다들 여기에 모여 있어요?"

소원의 말을 들은 윤기는 헛웃음을 지으며 말했다.

"우리도 다 따로 들어왔다."

"아~"

소원은 자신의 앞에 놓인 접시를 바라보며 옆에 앉은 남준에게 말했다.

"남준님. 이거 삼계탕이에요?"

"맞아. 손님 있다고 주방장이 힘 좀 썼나 봐."

'맞다. 여기 저승이었지? 후식으로 아이스크림은 기대하면 안 되겠다.'

"왜? 삼계탕 못 먹어?"

정국의 말에 소원은 아니라며 고개를 젓곤 수저를 들었다.

소원은 한입 먹자마자 은은하게 올라오는 약재 향과 질기지 않고 야들야들한 고기의 식감에 놀랐다.

"뭐야? 왜 맛있어?"

'아니. 우리 학교 조리쌤은 이때까지 삼계탕을 왜 그렇게 끓이신 거래?'

"그래? 우린 익숙해서."
"재수없어..."

소원의 말에 조용히 수저를 움직이고 있던 지민이 말했다.

"그때도 말 했듯이 다 들린다고 했다."
"예예~"

소원의 대답에 윤기가 웃으며 말했다.

"저 인간. 김태형 말투 닮아가네."
"진짜요?"
"칭찬아니다..."

태형이 신나하며 말하자 옆에 있던 남준이 한숨을 내쉬며 말했다.

"소원아. 이승에 차사 보내서 알아봤는데 너 지천대학 병원서 혼수상태래. 아마 혼이 여기 있어서 그런 것 같은데 일단 여러 방법 찾아보고 있으니까 걱정 하지 마."
"...고마워요."

남준의 말에 뭉클해하는 소원을 보던 지민은 식기를 들고 자리에서 일어나며 말했다.

"전 먼저 일 하러 들어 가볼게요."

지민이 일어나자 줄줄이 일어섰다. 그런 사람들 사이에서 석진은 다 먹었음에도 불구하고 일어서지 않고 가만히 앉아있었다.

"석진님은 일하러 안 가세요?"
"아직 시간이 좀 있어서. 밥 혼자 먹으면 쓸쓸하잖아."

석진의 말에 소원은 웃으며 남은 식사를 마저 했다. 식사를 다 하자 석진은 소원을 瑚璉館(호련관)에 데려다주곤 삼도천으로 갔다.
혼자 남은 소원은 심심한 마음에 저승 이곳저곳을 돌아다니고 있었다. 그때 소원의 눈에 들어온 것은 盛位館(성위관)이었다.

"와… 여기가 염라대왕님이 계신 곳인가? 내가 여길 들어가도 괜찮을까?"

盛位館(성위관) 앞을 서성거리며 고민하던 소원은 큰 결심을 한 듯 크게 숨을 들이키며 盛位館(성위관)의 큰 대문 사이를 들여다보았다.

그때 멀리서 걸어오는 검은 무리에 소원은 놀라며 최대한 벽쪽에 붙어 주저앉고는 본능적으로 숨을 참았다.

'제발… 빨리 지나가, 빨리…'

땅이 울릴 정도로 큰 덩치의 사람들이 모두 나가고 보이지 않을 정도로 멀어졌을 때 소원은 겨우 참았던 숨을 몰아쉴 수 있었다.

소원이 구석에서 나와 대문 쪽으로 걸어가자, 아까는 굳게 닫혀있던 대문이 열려있었다. 소원은 정신을 차리고 조심히 안으로 들어갔다.

"우와아…!"

외형은 사극드라마에서 양반가들이 사는 곳처럼 생겼지만, 그보다 훨씬 큰 크기에 압도 된 소원은 그만 육성으로 감탄사가 터져 나왔고 급하게 자신의 입을 막았다.

'진짜 크다. 역시 염라대왕님, 클라스가 달라.'

눈을 크게 뜬 채로 주변을 둘러보던 소원은 오른쪽 구석에 있는 방으로 걸어갔다. 그 이유는 익숙한 이름의 팻말이 보였기 때문이었다.

"*호석이의 희망 가득 한의원...?*"

'...호석님은 화내실 분으로 안 보였으니까 들어가도 괜찮겠지?'

소원이 생각하는 호석은 착한 사람이었지만 직장에 말도 없이 찾아오는 것은 예의가 아닌 것을 알기에 망설여졌다.

그때 뒤에서 여러 명이 걸어오는 소리가 들린 소원은 어쩔 수 없이 호석의 방을 두드렸다. 안에서는 해맑게 "*네~*" 하는 소리가 들려왔다.

"어!! 소워...!"

생각보다 큰 목소리로 저를 반기는 호석에 소원은 놀라며 뛰어가 호석의 입을 막았다.

"목소리! 목소리 낮춰요."

호석은 소원의 말에 고개를 끄덕였다.

"여긴 어쩐 일이야? 들어올 수 없었을 텐데."
"아... 그게 심심해서 돌아다니다가 어쩌다 보니... 혹시 제가

방해됐을까요?"

"심심했다면 뭐! 상관없지. 나는 네가 와줘서 난 너무 즐거운데? 근데 곧 있으면 병자들이 몰려올 거야. 盛位館(성위관) 사람이 죄인들을 잡으러 갔거든, 좀 전에."

"아…그럼 그 커다란 덩치의 검은 사람들이..?"

"봤구나! 맞아. 그 사람들이야."

"그런데 왜 죄인들을 치료해 주는 거예요?"

"지옥은 있잖아, 생각보다 훨씬 무서운 곳이야. 지옥에서 벌받는 사람들이 다치면 제대로 움직이기 힘들잖아? 치료를 해줘야 계속 일 하면서 벌 받지."

"음… 좀 무서운데요?"

소원은 처음엔 죄인도 치료해 준다는 사실에 놀랐다가 치료해 주는 이유가 더 굴리기 위함이라는 것을 깨닫자마자 오싹해졌다.

그때 문이 열리는 소리와 함께 죄인들이 들어오기 시작했고 호석은 소원이 앉아있던 침대의 커튼은 쳐주며 잠시 기다리라고 하였다.

그렇게 시간이 지나고 호석은 일이 끝났다며 소원에게 다가갔다.

"데려다줄게. 어서 가자. 가다가 염라라도 만나면 큰일이야."

"왜요? 염라대왕님이 많이 무서워서요?"

"음… 아니다. 어서 가자!"

"…?"

그런데 이게 무슨 운명의 장난인가.

문을 열고 나오니 단발머리의 작은 여자아이와 남준이 함께 복도를 걸어가고 있었다. 문제는 그 여자아이를 남준이 대왕님이라고 부르며 가고 있었다는 것.

'어떡하지? 귀엽게 생기긴 했는데 분위기가 좀…'

한참 동안 정적이 이어지더니 조용한 공기를 가르며 발걸음 소리가 들려왔다.

점점 다가오는 발걸음 소리에 소원의 심장 또한 빠르게 뛰기 시작했다.

걱정하기도 잠시.

"아가야! 세상에 너 너무 귀엽게 생겼다!"

"…?"

이건 너무 예상 밖의 일인데요.

.

.

．

．

《Behind》

염라: 김남준! 너는 내가 그렇게 아가 소개 시켜달라고 했는
데 왜 안 해줬어!
남준: 하… 이러실까봐 말씀 안 드린 겁니다.
호석: 이럴까봐 빨리 가려고 했는데…
염라: 꺄아 아가야! 너 이름이 뭐니?!
소원: 도와줘…))

***

염라는 소원의 볼을 이리저리 늘려보며 말했다.

"아가야! 세상에 너 너무 귀엽게 생겼다!"
"에에?"

염라는 소원의 볼을 잡았다가 자신의 입을 막고 눈을 반짝거
리며 발을 동동 구르고 있었다.
그런 염라의 모습에 소원은 놀랄 수 밖에 없었다.

소원에게 폭풍 질문을 쏟아내는 염라를 겨우 말린 호석과 남준이 지쳐 벽에 기대었다.

"이름은 윤소원이고 나이는 18살에 부모님 두 분, 형제는 없고 남친도 없구나?"
"예… 근데 마지막 건 빼 주시는 게…"
"어? 아가, 뭐라구?"
"아… 아니에요!"

염라에게 일방적으로 당하고 있는 소원을 지친 표정으로 벽에 기대서 바라보던 남준과 호석이 말했다.

"남준아, 넌 어쩌다가 염라랑 여기 있냐? 지금 집무실에 있어야 할 시간 아니냐?"

호석의 말에 남준이 머쓱한 표정으로 머리를 긁적이며 말했다.

"내가 서류 하나를 빼먹어서 그거 찾으러 가는 김에 바람 쐬신다고…"
"니는 또 빼먹었냐?"

호석의 어이없어하는 얼굴 뒤로 소원의 살려달라는 애처로운 표정이 보였다.

"대왕님, 이제 곧 망자들이 올 시간입니다. 이만 본관으로 가셔야 합니다."

남준의 말에 아쉬워하며 소원의 볼을 놔주던 염라가 소원에게 꼭 놀러 오라는 말을 남기곤 본관으로 발걸음을 옮겼다.

***

盛位館(성위관) 내부의 오직 촛불들로만 의지해야 할 정도로 아주 넓고 어두운 盛位館(성위관)의 가장 깊숙한 위치에 있는 본관 안.
염라의 옆에 서 있던 남준이 말했다.

"이곳에서 생전에 저질렀던 일을 되돌아보고 죄가 없다면 천국의 환생 길로, 죄가 있다면 지옥에서 죗값을 치른 후 환생의 길로 오르게 될 것이다."

남준이 말하고 있을 때 염라는 무표정한 얼굴로 망자를 가만히 내려다보고 있었다. 그러다 남준의 말이 끝나자, 허공에서 거대한 거울이 나오더니 망자의 생전 모습이 유리에 비쳤다.
그러다 사람들이 망자에게 도와달라고 하는 모습과 그것을 차가운 표정으로 무시하고 지나가는 모습이 나왔다.

"저…저는 잘 못 한 것이 없습니다! 그저 다른 사람을 도우며 살았습니다! 저 거울에 나오는 것은 다 거짓입니다!"

망자가 바닥에 무릎을 꿇고 앉아 고개를 들며 의자에 앉아있는 염라를 향해 소리쳤다.
그런 망자를 내려다보고 있던 염라는 거울로 시선을 옮기며 말했다.

"그래. 착한 일만 하고 살았던 네가 지옥으로 갈 이유는 없겠지."
"그러면 저를 천국으로…!"

염라의 말에 망자는 잠시 얼굴이 환해졌다가 이어지는 염라의 말에 얼굴이 사색이 되었다.

"허나, 사람을 도왔다는 말에 모순이 있구나. 넌 정녕 사람을 괄시하는 것이 도왔다고 할 수 있는 것이냐!"

염라의 호통에 망자는 겁에 질려 바닥에 엎드린 채로 애처롭게 떨고 있었다. 그런 망자를 보던 염라는 한숨을 내쉬며 말했다.

"판결을 하겠다. 거짓을 고한 저 입을 꿰메라. 사람들의 도움을 무시한 저 귀를 없애어라. 그리고 죄를 뉘우칠 때까지 절대 환생의 길에 오를 수 없게 하여라."

염라의 판결에 옆에 서 있던 남준이 죄인의 뒤에 서 있는 腐蔑館(부멸관)의 관리자들에게 말했다.

"저 죄인을 끌어내고 지옥 길에 오르기 전까지 腐蔑館(부멸관)옥사에 가두어 두어라."

남준의 말에 망자, 아니 죄인은 끌려 나갔다. 애처롭게 본관 안에 울려 퍼지던 죄인의 살려달라는 소리가 사라지고 다시 조용해진 본관. 가장 높은 곳에 앉아있던 염라가 말했다.

"이 '업경' 앞에서 거짓을 고하는 자들은 생각이 있는 건지 없는 건지."
"이 업경은 인간이 생전에 저질렀던 죄를 비추어보는 거울이 아닙니까. 인간이 이 거울의 존재를 알긴 어렵겠지요."

염라는 의자에서 내려오며 집무실로 걸어가다가 화단에 피어 있는 꽃을 발견하고 걸음을 멈추었다.

"그 둘은 만났다고 했지?"

"예. 그런데 둘이 못 알아보더라고요."

"그래도 그 둘은 꼭 서로를 알아볼 거야. 삼신이 점지해 준 거니까."

"..."

염라는 화단 가까이 걸어가 꽃을 더 자세히 들여다보며 말했다.

"삼신이 점지해 줄때 얼마나 울던지."

나 또한 그 둘이 이번엔 어떤 인연일지 궁금하기도 하고.

***

소원은 호석이 瑚璉館(호련관)으로 데려다주자, 건물 뒤에 있는 작은 숲을 거닐었다.

"지리산 같다."

그렇게 자연의 바람을 느끼며 숲을 걷다가 저 멀리서 보이는 사람의 실루엣에 그쪽으로 다가갔다.

가까이 가보니 나무 밑 그늘에 누워서 잠을 청하고 있는 윤기가 보였다.

'주무시는 건가?'

소원이 윤기에게 살며시 한 걸음 다가가자, 윤기의 눈이 떠졌다.

"뭐하냐."
"그… 심심해서 왔다가 윤기님이 보여서 와 봤어요!"
"그럼 나 봤으니까 이만 내려가. 방해하지 말고."

소원은 산에서 내려가기는커녕 긴 치맛자락을 움켜쥐고 윤기의 옆에 앉았다.

"여기서 뭐 하고 계셨던 거에요?"
"자고 있었다."

소원이 윤기의 말에 황당해하며 울창한 숲을 두리번거리며 말했다.

"여기서요?"
"그래. 그러니까 비켜. 내 자리야."
"이 넓은 숲에 주인이 어디 있어요!"

"있지. 염라."

윤기의 말에 소원은 수긍하며 고개를 끄덕였다.
그러곤 아까 염라와 있었던 일을 상기시키며 윤기에게 물었다.

"윤기님, 염라대왕님은 어떤 성격이에요?"
"염라는… 죄인들에겐 피도 눈물도 없는 냉혈한이지."

윤기가 염라 이야기를 하자 소원의 표정이 경악으로 물들었다.

"대왕님이 진짜 그래요? 막 죄인들한테 피도 눈물도 없다구요?!"
"그래. 염라 관심사는 오직 2개 밖에 없어."

윤기의 말에 소원은 윤기 쪽으로 몸을 기울이며 다음 말을 기다렸다.

"귀여운 것과 인연."
"…귀여운 건 이해가 되는데 인연은 왜요?"
"염라가 삼신이랑 친하다고 이야기 했었나? 어쨌든 염라는 심심하면 옥황 보다 삼신한테 제일 많이 가. 그러다보니 인연에 푹 빠져있지."

"그런데 대왕님과 옥황상제님과 삼신님은 무슨 사이에요?"

소원의 말에 윤기는 피식 웃으며 누워있던 몸을 일으켰다.

"옥황은 염라 아버지. 염라가 처음에 삼신을 계속 만나러 간 이유는 자기 아빠가 차인 거 놀리려고."

"그럼… 옥황상제님이 삼신님께 고백 한 거라구요?!"

"그래. 근데 차였지. 염라는 그거 놀리려고 삼신 찾아가다 인연에 빠진 거고."

"와아…"

염라의 이야기를 듣고는 흥미 가득한 표정으로 윤기를 바라보던 소원은 고개를 갸웃거리며 윤기에게 물었다.

"그럼 인연이라는 게 실제로 존재하긴 한 거네요?"

"그렇지 뭐. 삼신이 점지하면서 자동으로 이어지는 게 인연이니까. 근데 이거에 관해서 또 얘기가 많아."

"응? 어떤 거요?"

"나도 말로만 들어서 정확한 건진 모르겠는데 삼신이 인연을 이어준다 해도 그 인연의 끝이 좋을지 안 좋을지는 삼신도 뒤늦게 알게 된다는 거야. 인연이랑 운명은 다른 거니까."

"아… 인연이랑 운명…"

생각이 많아진 듯한 소원의 표정을 보던 윤기는 이제 그만 가보라며 다시 누웠고 소원은 고개를 끄덕이며 자리에서 일어났다. 그리고 발걸음을 옮기려는 순간 소원이 뒤돌아서며 말했다.

"설탕 아저씨, 어쩌면 저랑 아저씨랑 이렇게 만난 것도 인연일 수 있겠네요?"

"… 그건 모르지. 삼신의 뜻인지 아니면 이게 너와 나의 운명인 건지."

"음… 저는 운명으로 생각할래요. 운명이라는 게 인연보다 더 낭만적이잖아요?"

윤기는 눈을 감은 채 말이 없었고 소원은 살풋 웃으며 瑚璉館(호련관)으로 돌아갔다.

바스락거리는 나뭇잎 밟히는 소리가 더 이상 나지 않자, 윤기는 감고 있던 눈을 떴다.

"저 인간은 아직 기억하지 못 하나 보네."

윤기의 혼잣말에 윤기의 등 뒤에서 누군가가 다가오려다 멈칫하는 것이 느껴졌다.

그럼에도 불구하고 윤기는 누워있던 몸을 일으켜 모르는 척 망자들을 데리러 유유히 이승으로 가는 길로 사라졌다.

***

"와… 진짜 저승에 와파라도 터졌으면 이렇게 심심하진 않을 텐데…"

소원은 瑚璉館(호련관)에 있는 자신의 방 안 침대에 누워 이리저리 굴러다니고 있었다.

"넌 팽이도 아닌 것이 왜 계속 굴러다녀?"

갑자기 등 뒤에서 들려오는 소리에 소원이 깜짝 놀라 침대에서 벌떡 일어났다.

"놀랐잖아요! 무슨 저승 사람들은 사람 놀라게 하는 게 취미에요? 저번에 지민님도 그러더니 이젠 정국님이에요? 좀 멀쩡히 들어 올 수는 없었어요? 손은 장식이에요? 노크라는 것도 몰라요?"

소원의 쏟아내는 속사포에 정국이 말했다.

"미안하다…"
"아니에요… 그나저나 여긴 어쩐 일이세요? 일하는 시간 아니에요?”

“아 그게 너 심심해 한다는 말이 들려서. 腐蔑館(부멸관)에 데려가려고 왔지.”

“아 그런 거였으면 진작에 말 했었어야죠!”

“…”

“빨리 가요! 으아 드디어 노잼 탈출!”

“무슨 사람이 감정이 손바닥 뒤집듯이 바뀌는지 나 원…”

소원은 이미 자신의 방문을 열고 나간 상태였다.

“야 인간! 길도 모르는 게…! 같이 가!”

***

“야, 인간. 무섭지도 않냐.”

“무섭다기보단 신기해요.”

죄인들이 갇혀 있는 철창 안 구조를 보던 소원이 말했다. 그런 소원을 정국은 신기하게 쳐다보며 의자에 앉았다.

“넌 어째 애가 이렇게 겁이 없냐.”

“음… 웹소설을 많이 읽어서 그런가. 아니면 현실감이 없어서 그런 걸 수도있구요.”

"웩소설?"

"흐흫"

정국의 웩소설을 듣고 저항 없이 웃어버린 소원에 정국은 민망해져 목소리를 높였다.

"왜 웃어!!"

"아니… 웩소설이 아니라 웹이요, 웹."

"웹?"

"네."

腐蔑館(부멸관) 안에는 정국이 소리를 쳐 죄인들의 소음이 사라졌고 둘만의 목소리만 울려 퍼지고 있었다.

"그래서 웹이 뭔데?"

"음… 그러니까 웹은 사이트? 창? 아쒸 이걸 뭐라고 설명하지?"

"…?"

"그러니까…! 네모난 박스 모양 안에 있는 또 다른 박스라고 생각하면 돼요!"

'웹은 여기서 쓸 일 없겠지.'

"그렇군."

그때 정국의 뒤에서 腐蔑館(부멸관) 관리자들이 나왔다.

"여기 소원님 오신 김에 물어보세요!"
"뭘?"
"알잘..껄딱셍? 그거요!"
"..."
"이게 무슨 말 이에요? 뭐 알잘껄딱셍?"

소원의 놀리는 어투에 정국은 얼굴이 빨개지며 이마를 짚었다.

"순간 기억이 나지 않았던 것을 쟤들이 기억하는 것뿐이야!"
"오호 그래요? 그럼 다시 제대로 말해 봐요."
"왈잘… 똚껄쉼?"
"…ㅋ"
"뭐냐! 지금 날 비웃었어?"
"아닌데여? 정국님 말 듣고 웃은 거지 비웃은 적은 없었는데여?"
"그게 비웃는 거거든? 그리고 그거나 이거나! 그리고 그 빈정거리는 말투 좀 어떻게 해봐! 진짜 태형이 형님 닮아가네."

부끄러워하고 있는 정국 몰래 腐蔑館(부멸관) 관리자들과 죄수들은 입을 틀어막고 웃고 있었다.

"야! 조용히 못 해?! 넌 腐蔑館(부멸관) 관리인이라는 놈이 죄인 앞에서 정숙해야지!"
"악 넥... 죄송헙니닼ㅋㅋㅋㅋㅋ"
"야 인간! 이게 다 니 탓이다. 왜 그런 말을 알려준건데!"
"왜요? '존나'는 잘 쓰셨잖아요."
"아니... 그건..."

소원이 작게 웃고 있자 腐蔑館(부멸관) 문이 열리며 지민이 들어왔다.

"죄인들 다 있는데 무슨 소란이야?"

정국이 한숨을 쉬며 얼굴을 붉히자 소원이 지민 앞으로 다가가며 말했다.

"그냥 심심해서 여기 와 있었어요! 지민님은 어쩐 일이세요?"
"염라가 널 찾아."
"...?"
"표정이 꼭... 이미 만난 것 같다는 표정인데.?"
"...ㅎ"

"하… 따라 나와."

"네…! 정국님 잘 있어요!"

"야! 알잘딸긍쎙 알려 주고가!!"

지민의 손에 이끌려 소원은 腐蔑館(부멸관)을 나왔다. 盛位館(성위관)으로 향하는 길을 걷고 있자 향기로운 꽃들이 보였다.

"와 저승에도 꽃은 있네요?"

"석진 형 취미가 꽃 가꾸기거든."

지민과 함께 길을 걷고 있다가 노란색 꽃이 소원의 눈에 띄였다.

"저 꽃은 무슨 꽃이에요?"

"달맞이꽃이다."

"와 이름만 알았었는데 이렇게 생겼었구나. 이거 꽃말이 뭐에요?"

"…기다림. 말 없는 사랑."

"예쁜 이름인데… 꽃말이 슬프네요."

"그렇긴 하지."

지민의 표정이 어두워지던 찰나에 소원은 뭔가 생각난 듯 꽃

앞에 쭈그리고 앉았다.

"제가 아는 달맞이꽃 꽃말엔 '소원'이라는 말도 있대요. 그럼 간절히 염원하면 기다림이 아닌 재회로 바뀔 수도 있지 않을까요?"

"달맞이꽃 꽃말엔 '소원'이라는 말도 있대요. 그럼 간절히 염원하면 기다림이 아닌 재회로 바뀔 수도 있지 않을까요?"

"…"
"제 이름이랑 꽃말이 같아서 기억하고 있었거든요."
"…"
"지민님?"
"아무것도 아니다. 저 입구가 盛位館(성위관)으로 들어가는 문이다. 들어가면 남준 형님이 기다리고 있을테니 어서 들어가."
"네! 지민님 데려다 주셔서 감사해요!"

소원의 멀어져 가는 뒷모습을 지민은 가만히 바라만 보고 있었다. 그리고 소원의 모습이 더 이상 보이지 않을 때까지 생각이 많아 보이는 얼굴로 그 자리를 계속 지켰다.

'어째서, 어째서 네가 그 아이와 같은 말을 하는 거지?'

"지민 도련님!"

'우연이다. 그저 우연일 뿐이야. 솔연아, 오늘따라 네가 더 보고 싶구나.'

***

"아, 소원아. 여기!"
"남준님!"

자신을 부르는 소리 쪽으로 돌아본 소원의 눈에 남준이 들어왔다. 남준에게로 달려간 소원이 물었다.

"근데 대왕님이 왜 갑자기 저를…?"
"미안, 그건 나도 잘 모르겠다. 염라 변덕 참… 아무튼 빨리 가자."

소원은 고개를 끄덕였고 앞서가는 남준의 뒤를 쫓았다. 한참을 걸어 염라의 집무실 앞에 도착한 남준은 한숨을 작게 내쉬고는 노크를 했다.

—들어와.

문이 열리고 집무실에 들어선 소원은 사방을 둘러보며 감탄했
다.

"와아… 진짜 크다."
"애기야~!!"
"윽."

감탄을 하던 소원을 앞에서 덮친 염라는 있는 힘껏 소원을 껴
안으며 어서 오라고 반겼다.
격한 환영에 잠시 어지러움을 느낀 소원은 염라를 겨우 떼어
냈다.

"후… 대왕님, 안녕하세요."
"웅! 소원이 안녕~ 잠깐만. 김남준, 넌 차 좀 내와라. 나는 홍
차로. 우리 애기는 뭐 마실래?"
"예? 아 저는…"

대답을 하며 남준 쪽을 처다본 소원은 애처로운 그의 눈이 불
쌍해 보여 정중히 거절했다.

"괜찮아요."
"정말? 애기가 그렇다면 뭐. 김남준, 뭐해? 얼른 갔다 와."
"…네."

뒤 돌아 선 남준은 작게 속삭이며 발걸음을 옮겼다.

"염라 저 싸가지… 머리에 피도 안 마른게."

걸어가는 남준의 뒷모습을 바라보고 있던 염라는 서늘하게 웃으며 말했다.

"남주나 다 들려."
"크흠… 저 아무 말도 안했습니다."
"근데 인사는 안하구 가?"

염라의 말에 다시 뒤돌아 선 남준은 다리를 꼰 채 턱을 괴고 자신을 보고 있는 염라에게 허리 숙여 인사를 건네고 난 뒤 집무실을 나왔다.

"대왕님, 근데 저는 어쩐 일로 부르신 거예요?"
"보구싶어서. 같이 차 마시고 놀자. 아까는 만남이 너무 짧았어."
"아… 30분가량을 저를 잡아 놓으셨는데…"
"웅? 내가? 그 정도 밖에 안 지났었어?"
"하핳… 아무튼 좋아요! 마침 저도 대왕님께 궁금한 게 있거든요."

"정말? 뭐든지 물어봐. 애기 질문이면 다 들어주께!"

그때 묵직한 노크 소리가 들려왔다.

"들어와."

남준은 고개를 숙이며 짧게 인사 한 뒤 염라의 앞에 찻잔을 내려놓았다.

찻잔을 내려놓은 남준을 바라보며 염라는 고갯짓으로 자신의 오른쪽에 있는 소파를 가리켰다. 눈치껏 남준은 그 자리에 앉았다.

남준이 자리에서 앉자마자 염라는 웃으며 소원에게 말했다.

"그래서 우리 애기가 궁금한게 뭐야?"
"아, 실례일 수도 있는데 성함… 여쭤봐도 될까요? "
"물론! 내 이름은 '강 단'이야."

순순히 알려주는 염라에 소원은 예상 밖이라 생각했다.

그렇게 한참동안 대화를 이어가던 중 소원이 단에게 조심스럽게 물었다.

"염라대왕님은 왜 인연에 관심이 생기신 거에요?"

소원의 말에 단은 피식 웃으며 들고 있던 찻잔을 내려놓았다.

"내게 '인연'에 대해서 물어본다는 것은 이미 누군가에게 대략 설명을 듣고 왔다는 거겠지?"

단은 소원을 한번 바라보고는 소파에 등을 기대며 말했다.

"애기가 설명 듣고 온 그대로야. 말 그대로 난 옥황 놀리려고 삼신 찾아갔다가 인연에 빠진 거."
"삼신할머니는 뭘 하시는 분인지 알겠는데 옥황상제님은 뭐 하시는 분이세요?"
"우리 아빠셔."
"…예?"
"말 그대로 어버지라구. 옥황은 천국과 저승 사이에서 두 곳을 관리해. 물론 거기엔 삼신도 있고."

단의 말에 소원이 놀라 말했다.

"그럼, 염라 대왕님도 옥황상제님 곁에 있어야 하지 않아요?"
"아무리 우리 아빠가 옥황이라고 해도 두 곳을 세심하게 관리하기는 힘들어. 그래서 천국에는 우리 언니가 가 있고 저승에는 내가 있는 거야. 한마디로 대리 관리인 같은 거지."

'와… 미쳤다. 아빠가 옥황…?'

소원이 한참동안 충격에 빠져 헤어 나오지 못 하는 모습을 보며 단은 그것마저도 귀엽다는 듯이 소원을 꿀이 뚝뚝 떨어지는 눈으로 바라보고 있었다.

그리고 그 둘을 한심하게 보던 남준이 말했다.

"시간도 늦었으니 이만 이 아이를 돌려보내시지요."
"아쉽지만… 우리 애기도 자야하니까."
"하… 그 애기 라는 말 좀 안 할 수는 없는 겁니까?"
"남주나. 일 끝났어? 그럼 내 서류 네가 대신 처리 할래?"
"…마음껏 애기라 부르십쇼."

남준은 소원의 시선을 애써 무시하며 자리에서 일어났다.

"너 가는 김에 애기도 좀 데려다줘."
"…예."

남준과 소원이 단에게 인사를 하고 방을 나온 순간 소원이 말했다.

"거기서 알겠다고 하면 어쩌자는 건데요!"
"아니 나도 억울하다고!! 염라가 갖고 있는 서류들은 바로 옥황한테 올라가는 건데 내가 잘못하면 죽는거나 마찬가지야!"

"댁은 이미 죽었잖아요."

"..."

"알았어요. 밤이 늦었으니까 어서 가요."

"하… 김태형이 아니라 박지민 성격 닮아가네."

"뭐라고요?"

"… 아니다."

　우여곡절 끝에 瑚璉館(호련관)에 도착한 소원은 바로 침대로 달려들었다.

"아니 도대체 어떻게 하면 아빠가 옥황일 수 있지?"

　소원은 충격 받았던 여운이 가시질 않는지 계속 같은 질문만 뱉어내다가 지쳐 잠이 들었다.

　　***

　소원이 시끄러운 소음에 눈을 뜨자 불바다가 되어있는 마을이 보였다.

'저번에 꿈에서 봤던 곳 인데?'

　처음에는 멍멍했던 소리가 점차 선명하게 들리기 시작했다.

주위에서는 살려달라는 비명소리와 칼이 공기를 가르는 소리. 총이 발사되어 무언가를 꿰뚫는 소리. 그럼에도 불구하고 태극기를 흔들며 *'대한독립 만세!'* 라고 부르는 것까지.

소원이 떨리는 호흡으로 자신의 발밑을 내려다보자 펄럭이는 한복 치마 밑에 피를 흘리며 쓰러져있는 여러 사람들이 눈에 보였다.

아이와 노인 할 것 없이 이미 폐허가 되어버린 마을을 멍하게 바라만 보다가 갑자기 귀에서 이명이 들렸다.

순간 욱신거리는 느낌에 배를 내려다보니 고운 색깔의 한복이 점점 붉게 물들어갔다.

피가 흘러나오는 배를 떨리는 손으로 누르며 앞을 바라보자 흐릿한 시야 속에서 다급하게 달려오는 한 남성이 보였다.

"솔연아!!"

'어째서 날 솔연이라고 부른거지? 대체 왜… 날 보면서 그런 표정을 짓는 거야?'

몸이 힘이 빠져 옆으로 기울여지며 흐릿했던 시야가 돌아왔다. 주위를 둘러보자 이제 익숙해진 瑚璉館(호련관) 방 안 이었다.

살며시 이불을 들어 배를 보니 아무런 상처도 없는 자신의 배가 보였다.

소원이 침대에서 느릿하게 일어나 침대 헤드에 기대앉았다. 그러곤 방금 전 꾸었던 꿈을 다시 떠올렸다.

떠올리면 떠올릴수록 소원의 가슴은 답답해져 갔다.

"내가 왜 울고 있지?"

뭔가 흐르는 느낌에 손을 뺨에 가져다 대니 손바닥이 축축하게 젖어 들어갔다.

'내가 꿨던 꿈이 지민님이랑 관련이 있는 걸까?'

.

.

.

.

《Behind》

염라: 삼신!

삼신 할매: 아이구, 이놈아. 또 왔냐.

염라: 응! 마저 얘기 해줘야죠! 그래서 그 두 사람은 인연이 다시 이어졌어요?

삼신 할매: 음… 아마 그럴 게다. 고양이를 닮은 소년과 꽃처럼 예뻤던 소녀는 이 할미가 상상했던 것보다 서로를 많이 사랑했거든.

***

'내가 꿨던 꿈이 지민님이랑 관련이 있는 걸까?'

한숨을 내쉰 소원은 더 이상 생각하기 싫다는 듯 머리를 흔들고는 침대에서 일어났다.

"역시 오늘도 있네. 오늘은 연보라색이구나."

자신의 방 안에 있는 책상 위에 한복이 있는 것을 본 소원은 자연스럽게 그 한복으로 갈아입은 뒤 머리를 대충 하나로 묶고 식당으로 향했다.

"어? 오늘도 다 모여 계셨네요."
"소원아! 잘 잤어? 나도 방금 왔어."

석진은 웃으며 소원을 반겼고 소원도 웃으며 자리에 앉았다. 소원이 앉음과 동시에 자신과 석진을 제외한 모두가 일어섰다.

"인간, 오자마자 미안. 이 정국님이 좀 바빠서."
"나도! 근데 머리 좀… 아니다. 간다!"
"아… 다녀오세요."

정국과 태형이 나가고 그 뒤로 지민과 윤기가 말없이 뒤따랐다.

"소워니~ 나도 가볼게. 어디 아프면 바로바로 얘기하구 알겠지?"

"넵!"

호석과 남준도 나간 뒤 소원은 입맛이 없는 채로 밥을 먹었다.

"기운이 없어 보이네. 무슨 일 있었어?"

"아… 아뇨. 그냥 좀 오늘따라 기분이 안 좋아서요."

"그럼, 밥 다 먹고 나랑 고양이 보러 갈래?"

"…고양이요?"

"응! 삼도천 근처에 고양이 터가 있어. 총 7마리! 그중에 치즈라는 아이가 있는데 엄청 귀여우니까 기분이 좀 나아질 거야!"

신이 난 표정으로 말하는 석진을 보던 소원은 웃으며 제안을 수락했다.

밥을 먹고 일어난 소원과 석진은 삼도천으로 향했다.

"지민이? 삼도천에 있긴 하겠지만 봤다시피 엄청 넓어서 만나진 못할 거야. 근데 지민이는 왜?"

"아무 일도 아니에요.! 어서 가요!"

꿈 이야기만 하면 계속 떠오르는 감각과 소리에 소원은 애써 웃으며 석진의 소매를 붙잡고 삼도천이 있는 방향으로 갔다.
삼도천 나루터에서 조금 더 걸어가니 고양이들이 모여 있었다.

"우와! 진짜 저승에도 고양이가 있네요?"

소원이 신기하다는 표정으로 고양이들이 있는 쪽으로 다가가자 석진 또한 웃으며 소원과 자신을 보고 있는 고양이들에게로 다가갔다.
석진은 고양이들 중 치즈라는 고양이를 안아 소원의 품에 안겨 주었다.
그러나 고양이는 얌전히 잘 있는가 싶더니 갑자기 몸을 비틀며 소원의 품을 빠져나갔다.

"치즈는 사람을 좋아하는데 싫어해."
"...?"

석진의 말에 소원은 순간 지민을 떠올렸다. 그러다보니 의식의 흐름이 계속 꿈으로 넘어갔다. 소원은 고개를 흔들며 생각을 떨쳐내곤 고양이들을 바라봤다.

"여기 7마리가 끝이에요?"

"맞아."

석진이 고양이의 머리를 쓰다듬으며 말했다.

'저 고양이는 열심히 나무위에 올라가려고 애쓰고 있고… 저 고양이는 다른 고양이랑 놀고 있고… 또 저 고양이는 자고 있고… 저 고양이는 계속 웃고 있고… 음… 치즈는 혼자 서 있고, 저 고양이는 계속 돌아다니고… 저 고양이는… 왜 돌을 핥지…?'

소원은 고양이들을 가만히 바라보다가 아예 바닥에 자리를 잡은 석진에게 말했다.

"석진님. 근데 이 고양이들 누군가랑 닮지 않았어요?"

"모르겠는데? 다 귀엽기만 하구만."

석진은 어느새 자신의 품에서 고롱대는 치즈의 등을 쓰다듬고 있었다.

그 모습을 보던 소원이 고양이들에게 조금 더 다가가자 고양이들이 소원의 근처로 몰려들었다. 다리를 굽히자 고양이들이 소원의 다리에 등을 비비며 아예 엎드려 자리를 잡았다.

'오늘 기분이 좀 안 좋았는데… 고양이들 보니까 풀리네.'

소원이 고양이의 등을 쓰다듬으며 선선한 바람을 느끼며 앉아 있었다. 옆에서 그 옆모습을 보던 석진은 소원을 이곳에 데려오기 잘했다고 생각하며 소원의 옆모습을 계속해서 바라보고 있었다.

그렇게 시간이 지나고 석진이 바지를 털며 자리에서 일어났다.

"저희 이제 가는 거예요?"
"그래. 좀 있으면 삼도천 나루터로 지민이가 망자들 데려올 거라서."

소원은 갑자기 나온 지민의 이름에 자리에서 벌떡 일어났다.

"…?"
"어… 어서 가요…!"

소원이 삐걱대며 종종거리며 걸어가자 석진은 그 뒷모습을 보며 살짝 웃고는 소원을 瑚璉館(호련관)까지 데려다주었다.
석진이 삼도천으로 향하자, 소원은 심심한 마음에 腐蔑館(부멸관) 쪽으로 걸었다.

腐蔑館(부멸관) 입구에 도착하고 문을 열려고 하는데 腐蔑館(부멸관)의 뒤를 바라보자 거대한 문이 있었다.

'저게 뭐지?'

음산한 기운을 품기는 거대한 문 쪽으로 소원이 무언가에 홀린 듯이 서서히 다가갔다.

"야 인간…! 여기서 뭐 하는 거야!"

자신의 손목에서 느껴지는 감각에 소원이 정신이 돌아온 듯 깜짝 놀라며 손목을 잡은 사람을 바라봤다.

"여긴 죄인들이 지옥으로 가는 길의 입구야. 여긴 살아있는 사람이 가면 안 되는 곳이라고."
"아… 어쩐지. 뭔가 으스스한 느낌이 들더라."

소원의 태평한 말에 한숨을 쉰 정국은 소원을 문 앞에서 조금 떨어진 곳 까지 자리를 옮겼다.

"그래서, 여긴 왜 왔는데?"
"심심해서 腐蔑館(부멸관)에 놀러 왔어요."
"일단 아무리 죄인들이 옥사에 갇혀있어도 여긴 위험해. 데려다 줄게. 가자."

정국이 소원을 瑚璉館(호련관)의 입구까지 데려다주었다. 정국이 도착했음에도 불구하고 아무런 말이 없는 소원에 뒤를 돌아보자, 소원은 심통이 가득한 얼굴로 정국을 노려봤다.

"왜…왜! 뭐! 뭐가 불만인데!"
"저 방금 이 입구에서 腐蔑館(부멸관)으로 갔었던 거거든요! 근데 다시 왔잖아요…"
"…하. 그래서 뭐, 심심하다고?"

정국은 마치 소원의 뒤에서 보이지 않는 꼬리가 살랑거리고 있는 것 같은 느낌이 들었다.

"맞아요! 그러니까 나랑 놀아줘요!"
"음… 그럴까?"
"우와 진짜요?!"

소원의 밝아진 표정에 다시 장난기가 올라온 정국이 히죽 웃으며 말했다.

"싫어."

정국이 얄밉게 웃자 소원은 뭔가 생각난 듯 사악하게 웃으며 말했다.

"아! 제가 생각난 게 있는데요, 제가 있었던 이승에서는 막 이렇게 살아있는 사람한테 장난치면 옥황상제님이 살아있는 채로 귀도(鬼道)에 던져 버린대요!"

"..."

"그곳에 들어간 사람은 환생하지 못한 악귀에 살이 뜯기고 제 모습을 하고 다닐 수 없을 정도가 되어서야 꺼내 준 다나 봐요! 아, 정국님은 저승에서 이미 살고 계시니 조금 더 쉽게 귀도(鬼道)로 갈 수 있겠네요!"

소원의 환한 웃음에 정국은 뒷머리를 긁적이며 어색하게 웃더니 바쁜 일이 있다며 빠른 걸음으로 瑚璉館(호련관)에서 멀어졌다.

그런 정국의 뚝딱거리는 뒷모습을 소원은 바라보며 통쾌해하고 있었다.

"저 바보. 그걸 진짜 믿어?"

소원은 웃으며 瑚璉館(호련관) 안으로 들어갔다. 그때 순간적으로 센 바람이 소원의 몸을 훅 치고 갔다.

"뭐야. 저승에도 지구온난화 같은 게 있나?"

"뭐야. 누가 내 이야기 하나.?" (옥황상제)

소원이 瑚璉館(호련관) 안으로 들어오자 제일 먼저 보였던 것은 바닥에 쓰러져 있는 윤기였다.

"윤기님…!"

소원은 윤기 쪽으로 달려가 누워있는 윤기의 어깨를 톡톡 두드렸다.

기척이 없는 윤기에 당황해하던 소원은 안절부절못하며 윤기의 어깨를 계속해서 두드리고 있자 뒤에서 한목소리가 들려왔다.

"괜찮아. 형님, 자는 거니까. 굳이 안 깨워도 돼."
"네? 주무시는 거…라구요?"
"응!"

해맑게 웃으며 대답하는 태형에 소원은 안심하였지만 아무리 그래도 차가운 바닥에서 자고 있는 윤기가 걱정됐다.

"아무래도 깨우는 게 좋을 것 같아요. 바닥이 너무 차가워서…"

"그렇게 걱정되면 깨워도 되지만 혼나는 건 네 몫이야. 알지?"

"혼… 난다구요?"

태형의 말에 잠시 그대로 두고 갈까 생각했지만 사람을 바닥에 두고 갈 수는 없어서 소원은 윤기의 몸을 흔들었다.

"윤기님! 들어가서 주무세요! 여기서 자면 입 돌아가신다구요!"

"입이 돌아간다고?"

소원의 손길에 몸이 흐물거리는 윤기를 보던 태형은 소원의 입 돌아간다는 말에 기괴한 상상을 했는지 얼굴을 찌푸렸다.

"윤기형님이 그렇게 된다면… 으으으. 윤기 형! 일어나! 큰일 난다고. 형 입이… 입이!"

갑자기 자신을 도와 윤기를 깨우려 하는 태형에 소원은 잠시 놀랐지만, 다시 윤기 쪽으로 시선을 옮겼다.

瑚璉館(호련관) 복도 가득히 울리는 소원과 태형의 목소리에 윤기는 인상을 찌푸리며 일어났다.

"뭐야… 왜."

"윤기혀엉!"

"???"

울먹이며 안겨 오는 태형에 윤기는 얼굴을 찌푸렸지만, 태형의 행동을 거부하진 않았다.

"휴… 드디어 깨셨네요. 들어가서 주무세요. 여기 바닥이 꽤 차요."

소원의 말에 윤기는 다시 눈을 감으며 말했다.

"하… 인간, 그거 쓸데없는 오지랖인 거 알지?"

"그래도… 걱정되는 걸 어떡해요. 아무튼 왜 여기 누워 계셨어요?

"방까지 가는 길에 힘이 빠졌을 뿐이야. 그리고 잊었나 본데 여기 저승이야. 쉽게 병 안 걸려."

"정말? 형 그럼 지금 입 괜찮아?"

"입?"

윤기의 볼을 부여잡고 입 상태를 살핀 태형은 안도의 한숨을 내쉬며 윤기를 놔주었다.

"야, 뭔 말을 했길래 애가 저래."

"아… 그냥 차가운 데서 자면 입이 돌아간다고 했을 뿐인데… 크흠. 암튼! 이 말의 뜻은 나중에 알려 드릴 테니 들어가서 주무세요. 벌써 눈이 반쯤 사라지셨네."

"…알았다."

어기적거리며 일어난 윤기는 어깨가 축 처진 채로 자신의 방으로 걸어갔다.

방문을 닫는 것을 본 소원은 태형을 바라봤다.

"왜에… "

"아니 도대체 어떤 상상을 하셨길래 그래요."

"몰라… 비밀이야."

비 맞은 강아지 꼴을 한 태형의 얼굴을 바라보던 소원은 분위기 전환을 위해 목소리를 높이며 말했다.

"우리 같이 놀까요?"

"에? 좋아! 내 방으로 갈래? 마침 너한테 딱! 해주고 싶은 게 있었어."

소원은 의문이 가득한 얼굴로 이미 저만치 멀어진 태형을 따라갔다.

태형이 방문을 열자, 소원이 조심히 뒤따라 들어갔다.

"우와…"

"왜 그래?"

"방이 난장판 일 줄 알았는데 은근 깔끔해서요?"

소원이 웃으며 태형의 방 안을 둘러보았다. 장식장 안에 있는 술이며 책상 위에는 서류와 머리를 만질 때 쓰는 도구들이 가득했다.

"이 가위, 머리카락 자르는 용도 맞죠?"

"맞아."

"이건 머리끈이고, 빗이랑 댕기, 비녀? 이런 게 태형님 방에 왜 있어요?"

소원의 말에 태형이 소원이 있는 쪽으로 다가왔다.

"난 죽기 전에 이발소 사장이었거든."

"뭔가… 어울리는데 안 어울려요."

태형은 책상 위에 있는 머리끈과 댕기를 가져와 소원을 의자에 앉혔다.

"땋아 줄게."

"제 머리를요?"

태형이 웃으며 소원의 머리카락을 만지기 시작했다. 능숙하게 머리를 땋아 내려가는 태형의 손길을 느끼던 소원이 말했다.

"어렸을 때 엄마가 머리 만져준 게 생각나요."
"요즘은 안 만져주셔?"
"제가 고딩이라 그런가 엄마랑 말할 시간도 부족한데요?"

소원은 갑자기 이승에 홀로 남아있을 엄마 생각이 났다.

"…불러도 아무런 대꾸도 돌아오지 않다는 걸 아는데도 계속 걱정하면서 제 옆에 있을 거 에요."
"…"

태형은 내 말을 묵묵히 들어주며 머리를 만져주었다. 아무 말도 하지 않고 내 머리를 만져주는 그 손길에 깊은 생각에 빠져든 것도 잠시, 태형이 다 끝났다며 머리카락 끝에 댕기를 묶어주었다.

"댕기네요? 분홍색?"
"그래. 왠지 너랑 잘 어울려서."

소원이 거울에 비춰진 자신을 바라봤다.

"꼭 사극에 나오는 사람 같네요."

"잘 어울리네. 오늘 네가 입은 한복이랑도 잘 어울리고."

"그러게요. 아 그나저나 매일 자고 일어나면 책상 위에 한복이 올려져 있는데 누가 그런 건지 혹시 아세요?"

"한복? 아니. 난 잘 모르겠다. 하지만 누군지 추려낼 순 있지!"

"에? 정말요?"

"그래. 범인은 나 제외 6명 중 한 명이야!"

갑자기 분위기가 바뀌며 태형이 마치 코난에 빙의된 듯 검지를 치켜들었다.

"뭐야, 코난이에요?"

"코난이 뭔데?"

"아… 제가 아는 유명한 탐정 이름이에요. 아무튼 6명 중 누구요. 그 정돈 나도 추려내겠다."

"쯧쯧. 한국인 말은 끝까지 들어야지. 아침마다 있는 거 보면 일찍 일어나는 사람 일 거잖아? 내가 여기서 수십 년을 살아오는 동안 꾸준히 아침 일찍 일어나는 애들을 알지."

"어? 여기서 애들… 이라고 부르시는 거면… "

"그래. 지민이와 정국이야!"

"오오…"

왠지 신뢰가 가는 태형의 말에 소원은 감탄하며 손뼉을 쳤다.
태형은 어깨가 한껏 올라간 채로 고개를 들고 허리에 손을 올렸다.

"어쨌든 알아서 잘 찾아봐~"

소원은 짓궂게 웃는 태형을 한번 흘겨보고는 의자에 앉아있던 몸을 일으켰다.

"뭐 언젠간 제가 딱 일어났을 때 마주치겠죠."

"근데 이제 뭐 할 거야? 난 지금 이승에 내려가야 해서."

"음… 해가 질 텐데 落月河(낙월강)에서 노을이나 한번 보러 가 보려구요!"

소원이 창밖을 한번 바라보곤 태형에게 고맙다고 꾸벅 인사하곤 방을 빠져나와 落月河(낙월강) 쪽으로 걸음을 옮겼다.
잘 가꿔져 있는 꽃들을 구경하며 걸어가니 노을빛을 받아 아름답게 반짝이는 수면이 보였다.
소원은 정자에 앉아 가만히 찰랑거리는 물소리를 들었다.

"근데 이렇게 태평해도 괜찮은 걸까?"

야속하게도 난 이승이 아닌 저승에 있다. 가족과 친구들은 이
승에서 나를 걱정하며 있겠지.

소원은 태형이 땋아준 머리끝에 묶여있는 분홍색 댕기를 만지
작거리며 생각에 잠겼다. 그때, 옆에 있는 풀숲에서 무슨 소리
가 들렸다.

"…거기 누구 있어요?"

"…"

"저기요.?"

소원이 정자에서 나와 풀숲으로 조심스레 걸음을 옮기자 갑자
기 사람이 튀어나왔다.

"끄으아아아악!!!!"

"으어어어어어억!!!!! 호식이 살려!!!"

"호석님.?"

소원이 놀라 가빠진 호흡을 가다듬으며 앞에서 귀신을 본 것
마냥 놀란 호석을 보며 말했다.

"저에요! 윤소원!"

"소… 송아지.?"

"송아지가 아니고 윤소원 이라구요… 정신 좀 차려요."

"아… 미안…"

호석은 풀숲에서 나와 소원이 앉아있던 정자 쪽으로 다가와 옆에 앉았다.

"그나저나 호석님이 여긴 어쩐 일이에요?"

"약초를 캐러 왔다가 말소리가 들리길래 腐蔑館(부멸관)에서 도망친 망자인 줄 알았어…"

소원은 호석의 말을 듣고 어이없다는 듯이 한숨을 쉬며 하늘만 바라봤다. 그런 소원의 옆에 뻘쭘하게 앉아있던 호석이 바구니를 들며 말했다.

"약초 캐다가 배고프면 먹으려고 수정과랑 약과를 만들어 왔는데 같이 먹을래?"

'마침 저녁 시간이니깐 뭐.'

"먹을게요!"

'이승에서 먹던 거 생각나네. 엄마가 수정과를 진짜 좋아했었

는데… 그리고 내 친구 중에서 약과 수집하던 애도 있었고.'

소원이 약과를 한입 베어 물었다. 소원이 아무 말을 하지 않자, 호석이 말했다.

"맛있지?!"

호석의 말에 소원은 인상을 쓰고 약과를 삼키며 말했다.

"안 익었어요, 싱겁고 맛도 없…"
"…"
"…정성이 느껴지는 맛이에요!"
"…입 다물고 그냥 먹어."
"입 다물고 어떻게 먹…"
"시끄러…"
"넵."

소원이 입가심을 할 겸 수정과에 손을 뻗자 호석이 긴장한 것이 느껴졌다. 소원이 시선을 애서 무시하며 수정과를 한 모금 마셨다.

"맛있어요! 시원하고 여기 올라가 있는 대추랑 너무 잘 어울려요!"

소원의 말에 호석이 밝게 웃으며 말했다.

"다행이다! 역시 우리 요리사 솜씨야!"

…?

"이거 직접 만든 거 아니었어요?"

"아닌데? 내가 약과를 많이 만들어서 나눠준다고 하니까 요리사가 사색이 되면서 수정과랑 같이 주라면서 주던데?"

소원은 사색이 된 요리사의 표정이 생각나 웃었다.

"근데 이제 곧 밤인데 약초를 캐고 계셨네요?"
"이게 내 일이니까?"
"의학은 여기 저승에서 배우신 거 에요?"
"아니. 난 죽기 전에 의원이었어."
"죽어서도 환자를 돌보다니… 그 직업을 정말로 좋아하셨나 봐요?"

호석은 쓸쓸하게 웃으며 자리에서 일어났다.

"우리 걸으면서 이야기할까?"

소원이 호석을 따라 일어나 落月河(낙월강) 주변을 걸었다.

"난 어렸을 때 진짜 심하게 아팠던 적이 있었거든? 근데 그때 떠돌이 의원이 나를 치료해 주셨어. 돈도 받지 않으시고 말이야."

"..."

"그래서 나도 그런 사람이 되어야겠다고 생각하고 의원이 됐어. 그 사람을 떠올리면서 떠돌이 의원을 하다가 나를 살려준 그 사람을 다시 만났어."

"...인연인가 봐요. 다시 만난 걸 보면."

소원이 호석을 올려다보며 말했다. 소원의 순수한 눈에 호석은 피식 웃었다.

"그럴지도 모르지. 그분, 혼인도 하시고 자식까지 보셨더라고. 근데 그 부인이 내게 도움을 청했었어."

"...도움이라면 어떤?"

"자기 서방을 살려달라고. 평생 다른 사람을 치료해 주며 다녔는데 정작 자신의 서방이 병환으로 누워있을 땐 아무도 와주지 않는다고."

호석이 발걸음을 멈추고 강물을 바라보며 말했다.

"그 말을 듣고 내가 어떻게 거절해… 그래서 그를 다시 만났는데 나를 알아봐 주시더라고."

"…"

"열심히 최선을 다했지만 결국은…"

"…"

"아내와 그 자식들은 나이가 있으니 당연하다 이야기 했지만 난… 날 살려준 사람을 살려내지 못했어."

"그래서… 자결한 거 에요.?"

"…그래. 염라가 그러더라. 그분은 환생 길에 올랐다고. 나도 원한다면 그리 해 주겠다고 했어."

"근데 왜 환생하지 않은 거 에요?"

"그분의 마지막을 난 아직 기억하고 있었거든."

'네가 살아주어서 고마웠었다. 이젠 그런 네가 의원이 되어 사람을 돕고 다니는구나. 다시 만나 반가웠고 나의 죽음은 네 잘못이 아니니 많이 아프지 않기를 바란다.'

"그 말이 기억나서 도저히 그분을 따라 환생 길에 오를 수 없었어. 그래서 여기 머무르며 의원을 하겠다고 했지."

"그래서 여기서도 의원 일을 하고 계셨군요."

"물론 처음엔 간신들한테도 엄청 욕먹었지. 왜 죄인을 치료 하냐고. 근데 그 사람도 한때는 누군가에게 사랑하는 사람이었고 버팀목 이었을 테니까."

"…"

"죄를 받는 죄인이라고 해서 이승에서의 자신이 사라지는 게 아니니까."

'난 치료해주고 더 빡세게 굴린다고 비인간적이라고 생각했었는데…'

"…좋은 사람이에요, 호석님은."

소원이 작은 목소리로 말하자 호석은 소원의 머리를 쓰다듬으며 말했다.

"…고마워, 그렇게 말해줘서."

호석과 落月河(낙월강) 주위를 걷다보니 벌써 달이 보이는 밤이 되었다.

"요즘 달을 볼 시간도 없었는데 고맙다. 같이 봐줘서. 그리고 내 이야기 들어줘서."

"아니에요. 상처를 마음속으로 품고만 있으면 언젠가는 덧난대요."

"..."

"나한테 말해 줘서 고마워요."

소원이 웃으며 말하자 호석은 눈가가 촉촉해지는 것을 느끼며 뒤돌아섰다.

"에이 설마 울어요? 아니죠~?"
"아니거든! 난 병자들이 기다려서 먼저 간다!"

호석이 소원을 놔두고 盛位館(성위관) 쪽으로 도망갔다.

"아니…! 밤에 여자를 혼자 놔두고 가는 사람이 어디 있어요!!
완전 매너 꽝이야…!"

소원은 터덜터덜 어두운 밤길을 혼자 걸어 瑚璉館(호련관)으
로 돌아왔다.
소원은 자신의 방 앞 벽에 기대어 서있는 지민은 발견했다.
소원이 다가가지 못한 채 혼란스러워 하자 감겨있던 지민의 눈
이 살며시 떠지고 눈이 마주쳤다.

"…왜 여기 계세요?"

.

.

.

.

《Behind》

호석: 근데 매너가 뭐지?

남준: 그 말은 또 무슨 말이야?

호석: 아, 아까 소원이가 내 뒤통수에 대고 소리친 말이야.

남준: …돈으로 사람을 매수해서 너의 장기를 턴다는 게 아닐까?

호석: 흐미… 설마 소원이가 그러겠냐?

남준: …

호석: …나 살아남을 수 있겠지?

남준: 행운을 빌어.

"…왜 여기 계세요?"

소원의 물음에 지민은 왠지 모르게 삐걱거리는 몸으로 팔짱을 풀며 소원의 앞에 섰다.

소원이 올려다보자, 지민은 미간을 살짝 찡그리며 한 발짝 뒤로 물러섰다.

"그냥, 지나가는 길에."

소원은 지민의 말에 아무것도 없는 휑한 복도를 한번 획 둘러보고 말했다.

"…여기를요?"
"그래. 근데 어디 갔다 이제 와?"

소원은 지민의 방의 위치와 현재 위치를 번갈아 보며 도저히 지나가는 길일 수가 없는데 라고 생각하며 지민의 물음에 답했다.

"저도 그냥요. 산책 갔다 왔어요. 근데 지민님이 이런 것도 궁금해하시는 분이셨어요?"
"어. 그런 거 궁금해하는 분이니까 그 이상한 눈깔 좀 바꿔."

소원은 자신도 모르게 눈을 게슴츠레 뜨고 지민을 바라보고 있었다는 것을 자각했다.

금세 표정을 유하게 푼 소원은 지민의 눈치를 보며 말했다.

"큼… 표정은 죄송해요. 저도 모르게 그만… 좀 실례였다. 그 죠?"

"어."

잠시 동안의 정적이 흐르는 동안 지민은 차갑지만 부드러운 눈을 하고 소원의 눈과 코, 입 할 거 없이 하나하나 쳐다봤다.

소원은 그런 지민의 부담스러운 눈빛을 참느라 애썼지만 싫진 않았기에 가만히 서 있었다.

"됐다. 들어가서 자라."

"에? 뭐가 됐는데요?"

"알 거 없고. 그리고 그 머리 이제 하지 마."

"왜요? 태형님이랑 호석님이 예쁘다고 해주셔서 내일도 태형 님께 부탁하려 했는데."

지민은 소원의 입에서 태형과 호석의 이름이 나오자 눈썹이 움찔했다.

"…안 예뻐. 그니까 하지 마."

청천벽력 같은 얘기를 한 뒤 쿨 하게 뒤돌아 가는 지민의 뒤통수를 소원은 벙찐 표정으로 바라봤다.
이내 정신을 차린 뒤 방으로 뛰쳐 들어와 소리쳤다.

"미친! 자기가 뭔데 예쁘고 말고를 판단하는데? 뭐야 진짜. 인성!! 싸가지 인건 알았지만 저 정도일 줄이야. 뭐 이쁜 말 입에 올리면 죽는 병이라도 생겨? 나 참 어이가 없어서. 몰라. 내가 자기 말 들을 줄 알고? 절대. Never! 말 듣는 순간 난 사람이 아니고 개다, 개!!"

***

아무런 꿈을 꾸지 않아 개운한 상태로 기지개를 켜며 소원은 상체를 일으켰다.

"아으으! 좋다. 얼마 만이야. 이렇게 푹 잔 게."

소원은 콧노래까지 부르며 화장대 앞으로 다가가 자연스럽게 한복을…

"응?"

'한복… 이 없네?!'

소원이 매일 한복이 놓여있는 자리를 쳐다보자 늘 있던 옷이 보이지 않았다. 소원은 화장대 의자, 탁자 밑… 방을 다 뒤져봐도 한복은 보이지 않았다.

"아씨… 어떡하지.?"

소원이 문을 열고 고개만 살짝 내밀자, 밤사이에 망자들을 데려온 탓인지 옷차림이 평소와 다른 지민이 복도를 걸어가고 있었다.

"저…"

소원의 기어들어 가는 목소리에 지민의 발걸음이 멈췄다.
지민은 걸음을 멈추고 뒤를 돌아보자 문밖으로 고개만 내밀고 있는 소원이 보였다.

"저기… 제가 입을 옷이 없어서 그러는데… 옷 좀…"
"아, 삼도천에 망자 올 시간 다 됐네. 갔다가 오면 시원한 *감주가 마시고 싶은데…"

*감주: 식혜

"제가…! 준비해 놓을게요!"

"그리고 갔다 오면 옷을 갈아입어야 해서 방에서 옷을 가져와 야 하는데 귀찮네…"

"옷은 방에서 갈아입으셔야죠…"

"바로 盛位館(성위관)에 들릴 거라서."

"…그것도 제가 가져올게요."

"그래. 옷 갖다줄게."

지민이 소원의 시야에서 사라지자, 소원은 소심한 반항의 의 미로 방문을 세게 닫았다.

"뭐 저런 쫌생이가 다 있지? 얼굴은 잘생겨가지고."

…?

"뭐? 잘 생겨.? 미쳤나 봐! 내가 왜 그 쫌생이를… 으악!!"

벌컥-!

"늘 말하지만 다 들린다고 했다."

소원이 벌렁거리는 심장을 부여잡고 뒤를 돌아보자, 지민이 화장대 위에 한복을 내려놓았다.

“노크도 없이 들어오는 게 어딨어요!”

“노..크.? 그건 또 무슨 말이지?”

“문 두드리는 거요!”

“내가 멍멍이 방에 들어오는데 그게 필요한가?”

“그 말. 제가 지금 ‘개’ 같다는 말…”

“말 듣는 순간 난 사람이 아니고 개다, 개!!”

“헐… 진짜 개 됐네.”

소원의 얼빠진 얼굴에 지민이 웃으며 방을 나서며 말했다.

“옷이랑 감주. 잊지 마, 멍멍아.”

지민이 방을 나가고 소원은 지민이 들고 온 한복을 멍하게 바라봤다.

“으아아악!! 저 재수탱이!!! 뭐? 멍멍이?! 난 진돗개다 이놈아! 아니, 해치다!!”

한편, 지민은…

"다 들린다니까."

미소를 지으며 瑚璉館(호련관)의 복도를 유유히 걸어가고 있을 뿐이었다.

***

소원은 지민의 방으로 걸어갔다.

'주인 없는 방 들어가는 것도 처음이네.'

소원은 예의상 노크를 한 뒤 문을 조심스럽게 열었다. 지민의 방은 자신과 달리 굉장히 깔끔했다. 굉장히…

"이거 사람 사는 방 맞아?"

소원은 방을 계속 둘러보다 여기 온 목적이 생각나 지민의 옷을 찾아다녔다.

"찾았다!"

허리를 숙여 침대 위에 있는 옷을 품에 앉고 다시 허리를 펴자, 바닥으로 무언가가 떨어졌다.

"옥비녀.?"

순간 꿈의 한 장면이 생각났지만, 소원은 자신이 착각한 것이라며 비녀를 주워 옷 안에 집어넣고 방을 나왔다.

투덜거리며 瑚璉館(호련관) 식당에 도착한 소원은 주방장을 찾았다.

"주방장님~ 계세요?"
"예에. 갑니다요."
"저 식혜…! 아 아니 감주 한 병 주세요!"
"예에, 감주 한 병… 어? 그때 그 삼계탕 맛있게 드셔주신 분 맞으시쥬?"
"네! 맞아요. 삼계탕 진짜 맛있었어요."
"하핳 입맛에 맞았다니 다행이에유."

느긋하게 말하는 주방장의 말투에 소원은 마음이 편해지는 것을 느꼈다.

"덕분에 지가 승진했구만유. 감사혀요."
"정말요? 축하드려요!"
"하핳 덕분이여유. 아! 어제 수정과 드셨다믄서유. 호석이한테 들었는디."

"네! 수정과도 엄청 맛있던데 주방장님이 호석님이 말한 요리 사셨군요."

"예에, 근디 호석이의 약과는 혹시 드셨을까유.?"

"맛을… 아시는군요?"

씁쓸한 표정을 짓는 소원을 안쓰럽게 쳐다보던 주방장은 유리병에 식혜를 한가득 담아 소원에게 건네주었다.

유리병을 받아 든 소원은 주방장에게 인사한 뒤 나가려는 순간 앞에 커다랗고 시커먼 무언가가 소원의 앞길을 막았다.

"인간?"

"정국님? 정국님이 이 시간에 여긴 어쩐 일이세요?"

"크흠.. 그 늦잠을 자서어…"

점점 기어가는 목소리로 말하는 정국에 소원은 얼굴을 찌푸리며 *네?* 라고 되물었다.

그에 정국은 창피한 듯 귀가 살짝 붉어지며 소리쳤다.

"늦잠! 잤다고, 늦잠. 넌 무슨 애가 이렇게 궁금한 게 많냐?"

"저 오늘 질문 하나 했거든요?"

"아무튼! 밥 먹을 거니까 가라."

"네, 뭐. 맛있게 드세요."

소원은 자신의 품에 유리병과 지민의 옷을 소중한 듯이 품에 안고서 삼도천으로 향했다.

소원이 한참을 걸어 삼도천에 도착하자 서늘한 한기가 느껴졌다.

"으으으…역시 여기는 여전히 춥네. 처음 왔을 때보다 더 추워진 것 같아."

서늘한 공기에 소원은 지민의 옷을 더욱 세게 안아 자신의 온도를 높이려 애썼다.

그때 어디선가에서 어수선한 소리가 들려왔다. 그곳으로 향한 소원은 지민과 망자로 보이는 사람이 싸우고 있는 것을 보고 급히 달려갔다.

"아니이이! 내가 왜! 죽냐고, 앙? 너 내가 누군지 알아? 엉? 어디서 머리에 피도 안 마른 게 장난질이야!"

"하아… 이름 진유상. 나이 53세. 직업 택시 기사. 맞으시죠?"

"야! 그새 내 정보까지 뒷조사했냐? 엉?"

정확하게는 싸우는 게 아닌 지민이 일방적으로 당하고 있었다. 소원은 빠르게 짐을 바닥에 두고 망자와 지민의 사이에 들어가 섰다.

“앤 또 뭐야? 여친이냐? 꼴에 남친 지켜주는 거야? 엉?!”

소원의 이마를 손가락으로 밀며 물어대는 진상 아 아니 유상
에 소원은 열이 올라 결국 입이 열렸다.

“아씨, 요즘 어떤 세상인데 이런 진상이 다 있어! 이런 미친
아저씨를 봤나. 아저씨, 술 쳐 드셨어요? 왜 멀쩡한 사람의 대
가리를 치는데! 아저씨, 계속 이러면 신고 먹어요, 알아요? 아
진짜 존나 빡치게 하네. 사진 찍어서 인스타에 올리고 욕 존나
먹게 해드려요? 이런 거 원하는 게 아니면 곱게 곱게 이 고운
청년 말 따라요. 알았어요?”
“이게!”

유상이 손을 들어 소원을 해하려 하자 지민이 그 손목을 잡으
며 말했다.

“계속 이러시면 재판받기 전까지 腐蔑館(부멸관)에서 지내시
게 될 겁니다.”
“그게 뭔데 이 새끼야.”

유상이 지민에게 잡힌 손목을 빼내려 손목을 비틀었지만, 지
민은 그의 손목을 놔주지 않았다.

"이거 놔!!"

유상의 발악하는 목소리 사이에서 익숙한 목소리가 들려왔다.

"형. 고생했어요."

정국의 목소리에 소원이 뒤를 돌아봤다.

"아까 밥 먹고 있지 않았어요?"
"아 이놈이 도와달라고 달려와서."

손가락이 가리키는 방향을 보니 정국의 손에 목덜미가 잡힌
채 질질 끌려왔는지 바지가 다 헤진 腐蔑館(부멸관)의 옷을 입
고 있는 사람이 있었다.

"아! 이제 좀 놔주시죠!!"

바닥에서 버둥거리는 사람을 놓고 정국이 손을 털며 말했다.

"그래. 하는 일도 내팽개치고 현장에 관리자만 놔두고 나한테
왔다? 직무유기네."
"아니… 뭔 일 생기면 부르라면서요…"

"야. 밥 먹을 땐 개도 안 건드려."

갑자기 들리는 '개'라는 말에 소원이 이를 악물고 최대한 상냥하게 웃으며 말했다.

"저기요 정국님? '개'라는 말은 좀 삼가 해주실래요?"
"…?"

소원의 뾰로통한 표정 뒤에 지민이 유상의 손목을 잡은 손을 흔들며 말했다.

"그래서. 나 이거 언제까지 잡고 있어야 해?"
"하… 저 망자 재판 받을 때까지 네가 관리해. 알았어?"
"…옙."

유상이 소리를 고래고래 지으며 끌려 나가자, 정국은 배가 고프다며 인사도 없이 식당으로 가버렸다. 그 모습을 어이없게 쳐다보던 소원은 자신을 향해 느껴지는 시선에 고개를 돌려 지민을 바라봤다.

"요."
"그냥. 멍멍이도 짖으면 무섭다는 생각 중?"
"놀리지 마요… 여기요! 감주랑 옷!"

소원이 큰 병을 건네고 잔을 꺼내려고 움직이고 있는 사이 지민이 병마개를 열고 병나발을 불고 있었다.

"…?"

"…왜."

"그걸 다 드신.?"

"목말랐거든."

"아무리 그래도 원 샷을 때리는 게 어디 있어요!!"

"…? 난 뭘 때린 적이 없다."

"(환멸)"

"…"

"됐습니다. 제가 뭘 바랍니까. 전 '개'인데."

소원은 옷을 지민의 품에 던지듯 넘겨주곤 씩씩거리며 자리를 떠났다.

"…내가 뭘 때린 거지?"

***

단은 집무실 책상 의자에 반쯤 누운 자세로 종이만 펄럭거리고 있었다.

"남주나."

단의 부름에 남준이 서류를 정리하며 대답했다.

"왜 부르십니까."
"구냥."
"…안 바쁘십니까?"
"시비 거냐?"

남준이 결제할 서류 뭉치들을 단의 책상 위에 올려놓으며 말했다.

"그렇게 들으셨다니…"
"역시 아니ㅈ…"
"제대로 들으셨네요."
"남주나."
"예."

단은 이제 아예 집무실 의자에 똬리를 틀고 벌러덩 누웠다.

"이런 종이 뭉치 말고 가서 소원이나 델꼬 와."

"처리하실 서류가 산더미입니다만."

"뭐라구? 데리고 온다구? 알았서~ 고마워, 남주나."

"(해탈)예…"

盛位館(성위관)을 나가던 남준은 자신을 부르는 소리에 걸음을 멈췄다.

"김남주운!"

"음? 아, 호석아."

"어디가? 설마… "

참담한 표정으로 고개를 끄덕이는 남준에 호석은 이해했다는 듯 양손에 들린 약초 바구니를 한 손에 옮겨 다른 한 손으론 남준의 어깨를 톡하고 쳤다.

"수고해라, 남준아. 소원이 아마 瑚璉館(호련관)에 있을 거야."

"그래. 너도 수고해."

盛位館(성위관)을 나온 남준은 깊은 한숨과 함께 곧바로 瑚璉館(호련관)으로 발걸음을 옮겼다.

***

같은 시각 자신의 방에서 약과를 뿌시고 있던 소원은 약과를 내려놓고 손을 털며 말했다.

"아아아 지루해, 지루해, 지루해, 지루해. 여기는 뭐 瑚璉館(호련관), 盛位館(성위관), 감옥뿐이야? 할게 읎네, 증말."

　똑똑

"어? 이렇게 신사다운 노크 소린… 남준님!!"

　벌컥−

"우왈 깜짝아."
"아! 미안, 미안해요. 너무 반가워서 그만… 염라님이 저 부르셨나요?"
"눈치가 빠르네. 맞아."
"그럼 빨리 가요! 잠시만요, 그릇 좀 치우고 나올게요!"

　잠시 후 나온 소원과 남준은 瑚璉館(호련관)을 빠져나왔다.

"염라 보러 가는 게 그리 신나더냐?"
"그으건 아니지만 너무 심심해서 뭐라고 하고 싶거든요. 차라리 기가 쫙 빨려서 빨리 잠드는 게 덜 심심할듯싶어서…?"

"으음… 하긴 여기서 인간이 할 게 없긴 하지."

"정말 여기는 뭐 없어요? 건물 세 개 뾱뾱뾱, 산 하나 띡, 끝?"

걸음을 멈춰 선 소원이 진심으로 의문 가득한 얼굴로 자신을 쳐다보자 남준은 잠시 고민한 뒤 입을 열었다.

"좀 멀고 혹시 위험할까 봐 말하지 말자고 했었는데 네가 하도 심심하다 하니 슬쩍 말해주마."

"네? 그게 뭔데요?"

소원이 기대 가득한 눈으로 남준을 쳐다봤다.

"산을 넘어서 좀 걸어가다 보면 시전이 하나 있어."

"윤기님이 항상 누워계시는 서화산 말씀하시는 거 에요?"

"맞아."

남준의 말에 소원의 표정이 뾰로퉁해졌다.

"이때까지 계속 심심했었는데 진작 알려주시지!!"

"산 넘어가다가 혹시 뭔 일 생길까 봐. 나중에 시전에 갈 땐 아무나 꼭 데리고 가."

"넵!"

소원과 남준이 盛位館(성위관) 쪽으로 걸어갔다.

"뭐야 벌써 단풍?"

"네가 여기 온 것이 여름 끝자락이었는데 벌써 가을이 왔나 보네."

소원이 단풍나무에서 시선을 떼지 못하자 남준이 소원을 바라봤다.

"이승의 단풍과 달라?"

"아뇨. 이맘때쯤엔 항상 가족들이랑 나들이를 갔었거든요. 그냥 생각이 나서?"

소원이 싱긋 웃으며 앞장서 걸어갔다. 그 뒷모습이 쓸쓸해 보였다는 건 내 기분 탓일까? 아니면 바람에 흔들려 찬란히 떨어지고 있는 단풍 탓일까.

***

"소워나!!"

"염라님."

소원의 대구에 단은 입술을 삐죽거리며 이름으로 불러달라고 칭얼거렸다.

"나도 남주니처럼 이름으로 불러줘!"

"네.? 아무리 그래도…"

"괜차나! 내가 허락할게!"

단의 말에 남준은 한숨을 쉬었지만 단의 눈빛에 다시 서류 검토에 집중하는 척 하였다.

"단..님?"

"웅! 아주 조아. 근데 오늘 기분 별로 안좋아보이네. 무슨 일 있었어?"

"아… 감주…"

소원의 한이 서린 소리에 단이 말했다.

"남주나 감주 가져와."

"하… 예."

"한숨 쉬었니? 다 들려 남주나."

"잘못 들으신 겁니다."

남준이 문을 닫고 나가자, 단이 아예 몸을 틀어 소원을 바라봤다.

"왜 화가 난 거야?"
"아니 항상 아침마다 한복이 놓여 있었거든요? 근데 오늘은 일어났는데, 없는 거 에요. 그래서 마침 복도에 지민님 지나가시길래 옷 좀 부탁드렸더니 감주랑 갈아입을 옷 가져오라고 하는 거 있죠! 그래서 옷도 챙기고 감주도 챙겨서 갔었는데 지민님이 그걸…(떽떽)"
"오구 그랬구나~ 우리 소워니~"

단은 계속해서 소원의 머리만 쓰다듬었다. 소원이 열심히 말하는 동안.

"저기… 제 말은 듣고 계시는 거예요?"
"웅!"

마침 남준이 감주를 들고 와 소원과 단의 앞에 한잔씩 따라주었다.

"지민이 델꼬 와, 남주나."

"예.? 저 방금 왔고 처리할 일이…"

"데리고 오면 *녹봉 올려줄게."

_{*녹봉: 월급}

"다녀오겠습니다."

어우 역시 저승도 자본주의 사회네.

그렇게 시간이 흘러 지민이 들어왔다. 지민은 염라의 옆에 나란히 앉아 자신을 째려보고 있는 소원에 상황 파악을 하고 있었다.

"지미나 다 들었어."

"?"

"지미나. 사과해."

"…제가요?"

지민의 대답에 울분이 터진 소원은 아까 단에게 했던 말을 똑같이 다다다 쏟아부었다.

"아니 뭔 그것 가지고…(떽떽)"

서로 떽떽거리고 있는 모습을 단은 아주 흐뭇하게 바라보고 있었다. 남준은 말리지는 못할망정 따뜻한 눈빛으로 관전하는 단의 모습에 이마를 짚었다.

그렇게 한참 동안 두 사람의 떽떽거리는 토론이 끝나고 소원은 힘이 빠져 식혜를 원샷하곤 지민을 원망스레 째려봤다.

"대왕님, 이제 곧 진유상씨 재판입니다."
"치… 아쉽네. 담에 또 부를게! 잘 가!"

남준과 단이 나란히 나가고 곧이어 지민까지 나가버렸다. 순식간에 혼자 남게 된 소원의 괴성이 방 안을 뚫고 밖까지 들릴 정도로 盛位館(성위관) 전체를 울렸다.

"왜 나만 따시켜!!!!"

***

지민은 瑚璉館(호련관)으로 돌아가는 길에 떽떽거리는 소원이 계속해서 떠올랐다.

"아씨…"
"워메 이제 형한테 욕도 허냐?"
"형한테 한 거 아니에요. 무슨 일 인데요."
"네가 오늘 데려온 진유상 이라는 망자. 도망가다가 잡혔대.

정국이가 노발대발해서 난리 났다더라."

"그게 왜요?"

"…그래서 재판 앞당겨 진거래."

"네."

지민이 돌아서서 갈 길을 가자 호석이 지민의 뒤통수를 노려
보며 생각했다.

이미 죽었으니 돌을 던진다고 해서 또 죽진 않겠지?

그러다 자신의 품에 소중히 들려있는 약재를 보며 화를 가라
앉혔다.

***

"놔! 아까 나 끌고 갔던 새끼 다시 데려와!"

유상의 말소리가 큰 공간에 메아리처럼 울려 퍼졌다.

"피고는 조용히 하라."

단의 낮고 엄한 목소리에도 불구하고 유상은 아까보다 더한
행패를 부리고 있었다.

남준이 눈짓하자 腐蔑館(부멸관)의 사람들이 유상의 입에 재
갈을 물리고 꿇어앉게 한 뒤 어깨를 눌러 일어서지 못하도록 만

들었다.

　단은 그 모습을 보다가 의자에서 일어나 유상의 앞으로 다가
갔다.

　"아까 삼도천에 빠진 것을 괜히 구해준 건가. 거기 들어가면
끝도 없이 가라앉아 죄인의 혼백이 살점이 뜯기고 형체를 알아
볼 수 없게 되지."

　단의 말에 유상은 인상을 찌푸리며 일어나려고 하였지만 자신
을 억누르는 손길에 몸만 들썩이고 있었다.

　"업경으로 네놈이 생전에 저지른 일을 모두 보았다. 명부를 확
인하여 보니 이미 전생에도 같은 죄목으로 재판을 받은 기록이
있더군."
　"으읍…!"
　"그때 분명 회생의 절차를 밟고 환생한 것으로 아는데 어찌
또 같은 죄를 저지른 것이지?"

　단은 유상의 재갈을 풀었다.

　"그 더러운 버러지들이 나한테 이래라저래라하는데 그 짓을
안 하고 배겨? 난 내가 할 수 있는 일을 했을 뿐이야!!"
　"할 수 있는 일을 했다…"

단은 조소를 흘리며 유상을 똑바로 쳐다보며 말했다.

"판결을 내린다. 죄인 진유상을 서천 꽃밭에 보내어 저 쓸모 없는 다리가 꽃들에게 뜯겨 제 쓸모를 할 수 없을 때 까지 달리 게 하라. 그다음 서천 꽃밭의 호수에 던져 이승도 저승도 아닌 곳에서 평생 노동을 하며 살게 하여라."

남준의 고개를 끄덕이며 腐蔑館(부멸관) 사람에게 눈짓을 하 자 유상을 끌고 일어났다. 유상이 끌려 나가는 뒷모습을 보며 단이 차갑게 가라앉은 말했다.

"넌 이제 살아도 사는 게 아닐 것이다. 이승도 지옥도 아닌 곳 에서 넌 사람대접조차 받지 못 할 것이야. 또한 너에게 도움의 손길 따윈 없을 것이다. 네가 그랬던 것처럼."

단의 말에 유상은 더욱 발버둥을 쳤다. 살려달라는 비명소리 에도 눈 하나 깜박이지 않는 단을 보며 남준이 한숨을 쉬었다.

'저러다가 곧…'

"남주나!"
"하하… 예…"

'그래. 이게 염라지.'

단이 남준을 바라보며 한껏 들뜬 목소리로 말했다.

"나 오랜만에 삼신 만나러 가게 미리 *연통을 넣어줘!"
*연통: 연락
"최근에 가셨잖아요… 또 가시면 일은 어쩌구요…"
"남주나, 이런 일을 대비해서 네가 있는 거 아니야?"
"전 보좌하는 사람일 뿐입니다."
"(안 들림) 어쨌든 넣어줘!"

단의 신난 뒷모습을 보며 남준이 생각했다.

'누가 저분을 염라대왕이라고 생각할까. 저렇게 아이 같은데.'

터무니없는 부탁도 들어주게 되는 저분은 정말…

"남주나 나 갈게!"
"…주군."
"뭐야, 왜 옛날 호칭을 써."
"아닙니다. 조심해서 다녀오세요."
"엉~"

한여름의 햇살처럼 밝다.

더 가까이 다가갈 수 없을 만큼.

.

.

.

.

《Behind》

지민: 그거 하지 마. (머리)

소원: 왜요? 이쁘기만 한데…

지민: '그 댕기는 솔연이가 했던 거랑 같은 색이야.'

소원: …뭔데요

지민: 아니다.

소원: 뭐야. 납득할 만한 이유를 대야죠!

지민: 넌 어차피 상관없는 일이야.

소원: 칫.

"아이고… 니 또 왔나?"

"넹! 솔직히 삼신도 나 보고 싶었죠?"

"보고 싶긴… 우리 안 본 지 일주일밖에 안됐다 이놈아.

"흐흥 튕기지 마요. 아빠랑 다르게 저는 사랑스러우니까."

"그게 뭔 개 뼉다구 뜯어 먹는 소리냐. 하이구… 그래, 오늘은 뭐 땜시 온겨?"

삼신은 자신의 곁에서 쫑알쫑알 말하는 단을 보고 슬며시 웃으며 머리를 쓰다듬었다.

얼마 뒤 발소리가 들렸고 소리가 나는 쪽으로 단은 고개를 돌렸다.

"에에? 여길 왜 왔어?"

***

소원이 침대에 누워 아까 남준과 나눴던 말들을 떠올렸다.

"하아… 내일은 그럼 시전을 가볼까아. 근데 누구랑 가지? 흐음…"

골똘히 생각하던 소원은 피곤했는지 몰려오는 수마를 이기지 못하고 잠에 들었다.

***

"도련님! 어디 계신 거지? 분명 여기로 가면…어?"

솔연은 지민에게 알릴 좋은 소식을 가지고 지민이 있을 만한 곳을 찾아다니고 있었다.
그러다 시전에서 지민을 발견한 솔연의 눈에는 지민이 빛나는 옥비녀를 고르며 미소 짓고 있었다.

뭐야 저거 내 건가? 근데 댕기가 아니고 비녀네…?

솔연은 비녀를 자신의 품에 소중히 집어넣은 지민을 보곤 태연한 표정으로 지민에게 걸어갔다.

"크흠, 도련님?"
"음마! 깜짝아… 낭자. 그… 보셨습니까?"
"예? 무엇을 말입니까?"
"아무것도 아닙니다. 헌데 무슨 일로 오셨습니까? 설마…"
"네! 드디어 그 물건이 왔어요."

놀란 것도 잠시 금세 표정을 푼 지민의 기대에 찬 물음에 솔연은 활짝 웃으며 대답했고 솔연은 지민의 손을 잡고 어디론가 뛰어갔다.

어느 구석에 위치한 허름한 집에 도착한 두 사람은 안으로 들어가 낡은 책장을 조심히 옆으로 옮겼다. 옆으로 옮긴 책장의 밑에는 지하실로 가는 작은 입구의 문이 있었다.

"밑에 잘 보고 천천히 내려가시오, 낭자."
"네."

솔연은 어두컴컴한 지하실로 가는 계단을 비추는 횃불에 의지해 한칸씩 조심해서 내려갔다.

지하실 바닥에 발이 닿은 솔연은 지민이 끝까지 내려오고 나서야 뒤돌아 지하실에 있던 사람들에게 인사를 했다.

"저희 왔어요."
"누님! 형님!"

보자기를 안고 있던 정국이 솔연과 지민을 반겼다.

정국은 중앙에 있는 책상에 보자기를 올리고 조심스럽게 풀기 시작했다. 책상을 둘러선 사람들은 보자기 안의 물건을 보고 작은 환호를 내뱉었다.

"우와! 드디어!"

"이게 바로 우리나라 국기의 목판이오!"

"수고했다, 정국아. 이제 정말 얼마 남지 않았구나."

"네! 그럼, 찍어 볼까요?"

　소원은 구석 찬장에 있던 빨간색, 파란색 그리고 검은 *안료들을 들고 와 바르기 쉽게 준비했고 지민과 정국이 천천히 붓으로 목판에 *알료를 묻혔다.

*알료: 물감

　다 된 목판을 정국이 들었고 지민이 한지 양쪽을 잡아 고정시켰다. 그리고 드디어 목판과 한지가 만났다.

"자, 이제 뗄게요."

"아… 떨려."

"후…"

　정국은 심호흡과 함께 목판을 조심히 들어 올렸다.

　한지에 묻은 붉은색과 푸른색의 음과 양의 조화가 어우러져 흩어져 있는 알료를 본 사람들은 아무 소리도 내지 않고 감격에 찬 눈빛으로 그저 바라보기만 했다.

　잠깐의 정적을 깨고 사람들은 서로를 부둥켜안으며 좋아했고 순식간에 어수선해진 장내에 대표로 보이는 한 중년의 남성이 박수를 치며 모두를 주목 시켰다.

"이 국기에는 백색을 바탕으로 하여 중앙에 음 · 양의 양이, 네 귀 에는 건 · 곤· 감 · 이의 사괘가 배치되어 있소. 하여 이 것을 '클 태 太', '다할 극 極', '깃발 기 旗' 라고 하여 '태극기' 라고 칭하겠소."

"…"

"드디어 우리나라의 국기인 '태극기'가 우리 손에서 만들어 졌 소. 나는 이제야 비로소 대한제국을 위해 맞서 싸울 준비가 되 었다고 생각하오. 다함께 조국을 위해 온 힘을 다하고 진정한 우리의 땅에서 모두가 행복할 그 날까지… 대한 독립 만세!!"

대표… 아니 박영효의 담담한 말을 끝으로 사람들은 서로를 바라보며 다함께 외쳤다.

"대한 독립 만세!!"

대한 독립 만세를 외치며 웃음 짓는 사람들을 바라보며 솔연 은 울컥한 얼굴로 책상 위에 올려져 있는 태극기를 쳐다보며 말 했다.

"와아… 드디어 태극기가 우리 조국에… 제 눈앞에 있어요. 정 말 너무 좋아서 말이 잘…"

"낭자, 말하지 않아도 되오."

지민은 태극기를 보며 눈가가 촉촉해진 솔연을 보곤 조용히 등을 토닥여 주었다.

솔연은 묵묵히 그 손길을 받다가 환한 미소를 짓고 지민을 보며 말했다.

"도련님, 나중에… 나중에 말이에요."

"…"

"나중에 우리 조국이 독립하게 되고 혼사에 제약이 사라진다면, 저와 혼인…해주실 수 있나요?"

"예…?"

갑작스러운 솔연의 고백에 지민은 잠시 벙쪄 있다가 이내 정신을 차리고 솔연에게 물었다.

"혼인은 갑자기 왜…?"

"저는 도련님과 함께 하는 지금도 좋습니다. 지금은 함께 일을 도모하는 전우이지만 독립 후에는 도련님의 아내가 되어 그 곁을 지키고 싶어요."

솔연은 지민이 비녀를 넣었던 부분을 바라보다가 고개를 올려 지민을 얼굴을 쳐다봤다. 지민 역시 그런 솔연을 가만히 쳐다봤다.

그 둘은 처음으로 찍어낸 태극기 앞에서 환한 웃음을 지었다.

***

소원이 잠에서 깨자 벌써 아침이었다. 눈을 비비며 일어나 보니 책상에는 한복이 또 올려져 있었다. 그 한복을 내려다보고 있으니 꿈에서 나왔던 장면들이 떠올랐다.

"태극기를 찍어내는 꿈이었는데…"

아무리 떠올리려고 노력을 해봐도 특정한 사람은 기억이 나지 않고 목판을 찍어 낼 때의 장면과 여러 사람이 *'대한독립만세!'* 를 외치고 있는 장면 밖에 기억이 나질 않았다.

"에이씨 모르겠다…"

소원은 배에서 들리는 알림 소리에 빠르게 옷을 갈아입고 식당 쪽으로 걸어갔다.
식당 쪽으로 걸어가는 길옆에 큰 나무 밑으로 사람의 그림자가 보였다. 소원이 다가가자 그림자가 움직였고 그 그림자의 주인은 윤기였다.

"뭐야. 윤기님이었어요?"

"왜. 기다리던 사람이라도 있어?"

"아뇨. 누군가 해서요."

소원의 말에 윤기는 옷자락에 붙어있는 나뭇잎들을 털며 자리
에서 일어났다.

"근데 이 시간에 어가는 길인데."

"저 아침 먹으러요!"

"지금? 지금 *미시인데?"

*미시: 오후 2시

"예? 미시? 가 뭔데요?"

"아무튼 늦었다고. 얼른 밥이나 먹으러 가."

소원이 인사를 하고 가려던 찰나 어제 남준에게 들었던 시전
이 생각났다.

"윤기님! 저 밥 먹고 나면 같이 시전에 가실래요?"

"뭐야. 네가 그걸 어떻게 알아."

"남준님이 알려 주셨는데요?"

"…알려주지 말라니까."

"다 들리거든요."

윤기의 혼잣말에 인상을 찌푸린 소원은 윤기에게 말했다.

"아니, 그래서 같이 가주실 거예요?"

"난 못 가. 오늘 이승 내려가야 할 일만 산더미라서."

"그럼 전 누구랑 가요…"

"지민이랑 가. 걔 오늘 쉬는 날이야."

윤기가 지민의 이야기를 하자 소원은 꿈에서 봤던 것이 기억났다.

옥비녀.

'내가 어제 지민님 방에서 본 거랑 똑같은 것 같았는데…?'

갑자기 심각해진 표정의 소원에 윤기는 한숨을 쉬며 간다는 말과 함께 유유히 瑚璉館(호련관)을 빠져나갔다.

***

소원은 식당에서 밥을 먹는 둥 마는 둥 하다가 아무생각 없이 瑚璉館(호련관)을 걷고 있었다.

"…"

아무 생각 없이 걸었다.

진짜로.

소원의 앞에 있던 문이 열리고 한 사람이 나왔다.

"여기 서서 뭐해."

"아니 그냥 걷다가…"

"그냥이 아닌 것 같은데?"

지민이 소원의 얼굴을 가만히 쳐다봤다.

"같이 시전에 갈래요? 이거! 물어보고 싶어서…"

"시전에?"

소원이 식은땀을 흘리며 고개를 끄덕였다.

"시전의 존재를 알려준 사람은?"

"남준님이요."

"오늘 내 일정을 발설한 사람은?"

"윤기님이 자긴 바쁘다고 지민님이랑 가라고 하셨어요."

소원의 말에 지민은 어이없다는 듯이 웃으며 말했다.

"그 형님. 아마 잔다고 바쁘실걸?"

"네? 분명 이승 내려가신다고…"

"그니까. 그 형님은 같이 가는 차사 시키지 일 잘 안 하고 현장에 누워만 계셔."

　소원은 순간 이승에서 교통사고를 당했을 때 들었던 윤기의 목소리를 떠올렸다.

"그럴 수도 있겠네요."

　소원이 의심 없이 고개를 끄덕이자 그 모습이 웃겼는지 지민은 은은한 미소를 짓고 있었다. 소원은 그 얼굴에 왠지 가슴이 뭉클해지는 것을 느꼈다.

"…빨리 가요! 이러다 해지겠어요!"

　***

　지민과 함께 서화산을 넘으니 진짜 남준의 말대로 드라마에서나 보던 장터가 있었다.

"와… 드라마 속에 들어온 것 같아요!"

"드라마.?"

"음… 인형극같이 이야기를 들려주는 건데 인형이 아니고 네모난 상자 속에서 사람이 움직이는 뭐 그런 게 있어요!"

소원은 지민에게 폭탄 같은 말을 던지고 인파 속에 섞여 주변을 구경했다.
한편, 지민은…

"상자 속에서 움직이는 사람…"

지민은 급격히 울렁거리는 속을 가라앉히기 위해 노력하고 있어야만 했다. 시간이 흐르고 간신히 울렁거리는 속을 가라앉힌 지민은 지치지 않는지 계속해서 돌아다니고 있는 소원의 곁으로 갔다.

"지민님! 어때요? 이 댕기 예쁘죠?"
"도련님! 어때요? 이 댕기 예쁘죠?"
"…그 색은 내가 별로라고 했었을 텐데."
"엥? 예쁘기만 한데? 핑크 핑크하니."
"핑크?"
"아, 분홍색이요."
"아… 암튼 별로야."
"치."

소원이 툴툴거리며 댕기를 내려놓고 다른 가게 쪽으로 갔다. 지민은 소원의 뒷모습에서 솔연의 모습이 보이는 듯했다. 그리고…

뭘까. 이 익숙한 느낌은.

지민이 생각에 잠겨 묵묵히 소원의 뒤에서 걷다가 갑자기 들리는 비명소리에 앞을 보자 자신의 쪽으로 기울어지고 있는 소원이 보였다.

지민은 반사적으로 소원의 허리를 받쳐 넘어지지 않게 잡아주었다.

"괜찮아?"
"…괜찮아요."

소원은 떨리는 호흡을 가다듬으며 바닥에 쭈그리고 앉았다.

"죄송합니다, 아씨…"

아이의 소리에 지민이 바닥을 내려다보자 여자아이와 남자아이가 바닥에 엎드린 채로 소원에게 용서를 구하고 있었다.

"아이구 실수할 수도 있지! 바닥은 더러우니까 일어나자."

소원이 아이를 일으켜 세워 옷가지에 묻은 흙을 털어주었다.

"너희는 이름이 뭐야?"
"저는 주원이고 옆에 제 동생은 초원이에요."
"와아 오빠가 의젓하게 동생 챙기는 거야? 너희 너무 예쁘다."
"감사합니다."

주원은 배에 손을 올려 고개 숙여 인사했고 그런 오빠를 본
초원 역시 어설프게나마 그 행동을 따라 했다.

"사람이 많은 곳에서 뛰면 다친다? 그러니까 사람 많은 곳에
서는 뛰지 않기로 나랑 약속하자!"
"약속…?"

아이들이 약속이라는 단어를 못 알아듣는 모습에 소원이 당황
했다.

"아…! 약조!"
"네! 히히 약조!"

'내가 사극 광 아니었으면 어쩔 뻔…"

"그나저나 너희 부모님은? 어디 계셔?"

소원의 물음에 뒤에 서 있던 지민이 움찔했다.

"저희 어머니, 아버지는 어제 환생하셨어요! 그래서 제가 초원이 잘 데리고 있었어요!"
"어제 들어왔던 진유상한테 모두 살해당하셨어."

지민이 소원에게 조용히 소근 거리며 말해줬다.

"아… 미안해…"

소원이 어쩔 줄을 몰라 하자 초원이 예쁘게 웃으며 소원의 앞에 쭈그리고 앉았다.

"저희는 괜찮아요! 엄마랑 아빠랑 가기 전에 여기서 살아 있을 때 못 먹었던 것들 다 먹은걸요?"
"맞아요! 초원이랑 부모님이랑 어떤 차사님이랑 같이 신나게 보냈어요!"
"…"
"그리고 환생하면 좋은 거잖아요. 전 엄마랑 아빠가 행복했으면 좋겠어요!"

소원은 말없이 웃으며 둘의 머리를 부드럽게 쓰다듬어 주었다. 그러다 소원은 아까 주원이가 말했던 차사님에 대해 물어봤다.

"아까 차사님이라고 했었는데 어떤 차사님이었는지 기억나?"
"엄청 하얗고 키 조금 작으시고… 설탕같이 생기신 분이요!"

초원의 발랄한 대답에 지민과 소원은 웃었다.

"그 형한테 이런 면이 있었네."
"그러게요. 제가 저번에 설탕 닮았다고 했었죠?"
"아씨! 여기 앞에서 곧 공연한대요! 저희랑 같이 보러 가요!"

주원이 말에 소원이 빛나는 눈으로 지민을 바라봤다. 그 눈빛을 못 이긴 지민은 고개를 끄덕였다.

"아, 참! 그냥 누나나 언니라고 불러! 내가 너무 어색해서 그래."
"네! 그럼 언니, 빨리 가요!"

초원이 자그마한 손으로 소원을 붙잡고 뛰어갔다. 그 뒷모습을 바라보고 있던 지민에게 주원이 말했다.

"그… 혹시 누나 좋아해요?"

"내가…?"

"실례였다면 죄송해요… 저희 어머니, 아버지 눈빛이 지금 나리 눈과 비슷하게 느껴져서요! 아무튼 저희도 얼른 가요."

"…어, 가자."

***

소원이 아이들과 신나게 놀면서 하루를 보내고 아이들에게 또 오겠다는 약속을 한 후 지민과 돌아가고 있었다.

"와… 넘어올 때는 몰랐었는데 막상 다시 올라가려고 하니까 경사가 진짜 심하네요…"

소원이 치맛자락을 부여잡으며 힘겹게 산을 오르고 있자 지민이 잡으라며 손을 내밀었다.

"잡아. 그러다가 오늘 안에 도착 못 하겠다."

"…어?"

소원은 자신에게 내밀어진 손에 꿈속에서 봤던 손과 겹쳐 보였다.

"왜?"

"아니에요.!"

소원이 지민의 손을 잡았다. 산을 다 내려왔으니 손을 떼겠지 싶어 가만히 있었는데 지민이 손을 떼지 않았다.

당황스러운 마음에 지민의 얼굴을 바라보자 무언가를 생각하고 있는 듯 자신이 보고 있다는 것을 눈치채지 못하였다. 소원은 괜히 화끈거리는 얼굴에 바닥만 보며 열심히 걸었다.

그렇게 잠시 후 瑚璉館(호련관)에 도착하고 그제야 알았다는 듯 지민이 머쓱해 하며 손을 났다.

"벌써 밤이네. 잘 자."

"잠깐만요.!"

"왜?"

왜 그랬을까.

무슨 용기가 나서.

"남준님이 여기서 일하고 계신 분들 중에서 독립운동하다가 돌아가신 분들도 있다고 하셨었는데 혹시 지민님도 그 사람 중에 한 명이에요.?"

"...맞아."

소원이 뭐라 입을 열려고 했지만 지민이 먼저 자리를 피해버렸다.

"시간 늦었어. 빨리 자."

소원이 멍한 정신을 차리고 난 후에 지민은 이미 저만치 멀어진 후였다.

***

"'왜 왔어' 라니? 이래 보여도 내가 니 애비다, 이놈아. 애비한테 반말을 찍찍 하구 엉? 아무래도 내가 교육을…"

혼자 꼿꼿하게 선 옥황이 독백을 하다 삼신의 손에 쓰담 받고 있는 염라를 보곤 왠지 모를 짜증에 미간이 찌푸려졌다.

"할매애, 저 사람 엄청 꼰대다. 애비라는 사람치곤 나한테 해 준 게 뭐 있다구… "
"에헤이, 그만해 둘 다. 근데 니는 꼰대라는 말을 어디서 배운 거?"
"소워니가. 아빠 얘기하니까 꼰대가 적합한 단어라구 하든데?"

도리어 자신을 앞담하는 소원에 옥황은 표정이 울상이 되어 삼신에게 다가갔다.

"날이 좋은데 함께 산책이나 하시겠소?"
"여기 천계는 낮밤할 것 없이 365일 날씨가 좋은디 뭐래는 겨."
"아휴 아빠는 차이 고도 양심이 없어?"

단의 말에 옥황이 발끈하며 몸을 비틀자 옷에 달려있는 장신 구들이 부딪쳐 짤랑거리는 소리를 만들어냈다.

"내가 다원이한테 차이긴 뭘 차여! 고백 거절은 당했어도 차인 적은 없다!"
"그게 그 말이거든? 아빠는 상제 자리에 앉아서 할매 생각 좀 그만하고 이 돌아가는 세상에 관심 좀 가져보는 건 어때?"
"천계에서 가장 품행이 올바르고 타인에 대한 배려가 그 누구보다 깊다고 하여 내가 옥황인거다!"
"할매, 그냥 내 아빠 델꼬 갈래요? 시끄러워요."
"내가 뭐가 시끄럽다고 그러는 거냐? 시끄럽긴 네가 더 한 것을 누구에게 그 탓을 돌리는 것이냐!"

옥황과 단이 말싸움을 벌이자 삼신이 자리에서 벌떡 일어서며 두 사람을 밖으로 내보냈다.

"시끄럽긴 둘 다 똑같혀. 애들 내가 잘못 점지하면 니가 책임질겨? 싸울 거면 나가서 싸워. 곧 있으면 나 생일상 받으러 가야 혀."

"웅? 할매 그거 요즘에도 가? 그 인간도 대단하네. 아직도 그런 거 챙기는 거 보니까."

"그려. 윤소원이라고. 그 아는 병상에 누워 있는디. 그 아 부모 얼굴이 참… "

삼신이 소원의 이야기를 하며 혀를 차자 단은 궁금했던 것을 재빨리 물어봤다.

"그럼 소원이랑 걔 다시 이어준 것도 삼신이 한 거야?"

"니가 그걸 어떻게 알았냐. 벌써 둘이 만난겨? 근디 만났다고 쳐도 니가 그걸 우째 아는겨?"

"…그 윤소원이 지금 김태형 차사의 실수로 瑚璉館(호련관)에서 지내고 있으니까?"

"워메…"

"다원아!"

"할매!"

삼신이 쓰러졌다.

그것도 뒷목을 부여잡고.

.

.

.

.

《Behind》

삼신: 아니… 니는 일 제대로 안 허냐?

염라: 내가 아니라 김태태가 했다니까.

옥황: 너는 그걸 왜 물어봐서 다원이를 쓰러지게 만들어!

염라: 아니 궁금했단 말이야! 아빠 일이나 하러 가.

옥황: 니나 얼른 저승으로 내려가거라.

삼신: 그냥 둘 다 나가. 시끄러워 죽겠으니까.

옥황: 사투리 안 쓰는 다원이도 좋구나…

삼신: 니 저리 꺼져.

염라: 아빠 꺼지래.

옥황: 왜 나한테만…

"예에? 그래서 삼신할머님은 이제 괜찮으세요?"

"웅…아마? 아빠가 옆에서 잘 해주게찌, 뭐. 할매 눈뜨는거 보구왔으니까 너무 걱정하지 마."

"다행이네요."

단의 말에 남준은 안심하며 다시 자신의 일에 몰두했다. 그런 남준의 모습을 턱을 괴고 가만히 지켜보던 단은 남준을 불렀다.

"남주나."

"왜요."

"왜에요? 말이 좀 띠껍네, 남주나?"

"기분 탓이 실 겁니다."

"기분 탓 아닌 것 같지만…이건 그렇다 치구. 쫌 있으면 소워니 생일이래."

"아. 그렇구나."

"…반응이 그게 다야?"

"그럼 어떤 반응이어야 합니까?"

통명스럽게 대답하는 남준에 단은 입을 앙 다물고서 남준에게 다가가 귀에 대고 소리쳤다.

"소.워.니.생.일!이라니까아!"

"와악!"

놀란 남준은 눈을 크게 뜨며 자신의 귀를 두 손으로 막았다.

"흐흥-"

그제야 남준의 반응이 맘에 들었다는 듯 다시 뒤돌아 자신의 자리에 앉으며 여유롭게 고통스러워하는 남준을 쳐다봤다.

"구로게. 그 반응을 좀 더 빨리 보였어야지, 안 그래?"
"후우…덕분에 잠이 깼습니다, 하하하."

남준은 억지웃음을 띤 상태로 말한 뒤 자신의 귀를 막고 *아아*하며 고막 상태를 확인했다.

"오오, 잘 됐네. 구롬 잠 깬 김에 그 선물용품들 좀 구해와."
"저승 팔도에 선물용품점이 어딨습니까…"
"어어? 말대꾸? 나 염란데?"

단은 자신의 신분을 내세우며 눈을 크게 뜨고 남준을 쳐다봤다. 남준은 그런 단에 체념하고 몇 가지 서류들을 챙겨 단의 앞에 쿵- 소리가 나게 내려놓았다.

"그럼 저 올 때 동안 이거라도 하고 있으십쇼."

"윽…귀찮은데."

단의 말을 뒤로하고 남준은 盛位館(성위관)을 나와 주변을 둘러보았다.

"하…도대체 선물용품을 어디서 구해오라는 거야. 진짜 염라는 알면 알수록 모르겠단 말이지… "
"너는 그런 염라의 모습이 좋은 거지?"

남준은 어깨 뒤에서 갑자기 들려오는 목소리에 흠칫 놀라며 고개를 돌려 인기척의 주인을 바라봤다.

"뭐야, 놀래라."
"놀랐지? 근데 선물용품은 왜?"

남준의 뒤에서 해맑게 웃는 호석이 남준을 반겼다.

"아, 곧 윤소원 생일이래서."
"뭐어? 진짜? 우리 소원이 생일이야?!"
"응. 아니 근데 언제부터 우리 소원이가 됐냐. 많이 친해졌나 보네. 아무튼 그래서 심부름 가는 중인데 이게 파는 곳이 있어야 다녀오든가 하지…"
"선물용품 가게라면 나 아는 데 있어!"

"뭐? 와… 저승이란 곳에 별게 다 있네. 뭔 축하할 일이 있을 거라고 그런 가게를 만들었지?"

"시전에 같이 가자. 마침 나도 시전에서 살게 있었거든~"

"시전에 있구나. 그래, 가자."

시전으로 가는 길인 서화산을 오르며 호석이 꺄르르거리며 웃고 있을 때 앞을 보고 있던 남준은 놀라며 가슴에 손을 얹고 숨을 몰아 쉬었다.

"에? 남준아, 왜 그래?"

"아 진짜 오늘 나 놀래키는 날이야? 다들 왜이래 오늘따라."

"뭔 소리야."

"오! 윤기 형님? 엄청 오랜만인 것 같은 느낌이네요."

"그러게."

"근데 넌 윤기형님 봤으면서 왜 그렇게 놀래?"

"아니… 누구라도 그렇게 서있는 사람보면 놀랄걸."

남준이 본 윤기는 고개를 내린 채 무표정으로 자신을 뚫어져라 노려보는 모습이었다.

"너무 멀어서 누군지 보려고 살짝 찡그렸을 뿐 이다."

"아잇, 그래도 담부턴 하지 마시라구요. 진짜 놀랐습니다."

윤기는 남준의 말을 가볍게 무시하곤 뒤에서 뭐가 그리 웃긴
지 웃음을 터트리고 있는 호석에게 말했다.

"근데 니네 어디가냐?"

"시전에요! 저는 살게 있어서 가구 남준이는 염라 심부름으로
소원이 생일 기념 용품 사오라고 시켰대요."

"아 선물용품이면 거기?"

"뭐야, 형님도 알고 계세요? 이 저승이 통째로 날 따시키는 느
낌인데."

"형님도 같이 가실래여?"

호석의 반짝거리는 눈빛에 윤기는 마지못해 고개를 끄덕였고
소원이 봤으면 '저건 그냥 포켓몬스터에 나오는 *너 내 동료가
돼라!*' 잖아.' 라고 했을 법한 윤기의 섭외를 끝으로 얼마나 지
났을까 신나게 뛰어놀고 있는 아이들 소리가 세 사람을 반겼다.

"그럼! 저는 이만 볼일 보러 가볼게요. 선물용품점은 윤기형이
알고 계신다니까 믿고 남준이 맡깁니당~"

"호석아, 너는 근데 뭐 사러가는 거야?"

"있어. 음… 쉽게 말하자면 약재?"

"아, 알았다. 가라."

호석은 가면서도 뒤돌아 보며 눈에 안보일 때까지 손을 흔들

며 사라졌고 윤기는 많이 걸어 힘들었는지 쭈그려 앉아 남준을
올려다 봤다.

"형님, 이제 일어나십시오. 가게로 안내해주셔야죠."
"아…귀찮."
"…"
"내가 위치를 알려줄테니 혼자 갔다오는게 어때?"
"에휴…그럼 혼자 어디 계시게요?"
"산 입구쪽에 누워있을게."
"알겠어요. 길 알려주세요."

느릿느릿 길경로를 읊는 윤기의 말을 새겨들은 남준은 고개를
끄덕인 뒤 시전으로 들어갔다.

"여기서…떡집 옆옆옆 가게가…음? 아닌데."

윤기가 말해준대로 간 남준은 가게가 없는 것을 보고 당황하
며 주변을 둘러보았다.

"분명 여기가 맞는데. 윤기형님이 분명 '서아떡집'이라고…"

혼잣말을 하며 자신이 본 떡집의 이름을 보았다.

"저아 떡 지입? 아니 뭔 지읏의 획 하나를 저리 작게 쓰면 우째?"

남준은 작은 한숨을 내쉬며 다시 다른 길로 발길을 옮겼다.

"떡집이 그니까 서화산에서 아까 온 골목으로 쭉 가면 지금 여기가 나오고 여기서 왼쪽으로 가다 보면 책이 쌓인 가게가 나온다. 음! 여기."

책이 쌓여 있는 낡은 서점 앞에 멈춰선 남준은 고개를 끄덕인 뒤 다시 윤기의 말을 떠올렸다.

"여기서 뒤를 돌고오오…깜! 짝아."

남준이 뒤를 돌자 작은 소녀가 남준을 올려다보고 있었다. 속으로 *진짜 오늘 외이래* 를 외치던 남준은 큰 눈에 눈물이 맺혀 있는 소녀를 보고 황급히 소녀와 눈높이를 맞춰 앉으며 물었다.

"왜 그러느냐."
"오…오라버니르을..흐으"
"오라버니를 놓친 것이냐."
"네에..흐"

염라 옆에서 일을 하는 남준은 눈치 백단으로 소녀의 눈물 출처를 알아낸 뒤 아이의 머리를 부드럽게 쓰다듬으며 말했다.

"울지 말거라. 도와줄테니 나와 함께 네 오라비를 찾으러 가자. "

아이는 눈물을 작은 손으로 문지르며 고개를 끄덕였다. 남준은 아이를 데리고 선물용품점을 뒤로한 채 아이의 오빠를 찾기 위해 걸어갔다.

"이름이 무엇이냐?"
"초원이요…"
"예쁜 이름이구나. 오라버니의 이름은 알고 있느냐."
"오라버니 이름은 주원이에요."
"그래, 초원아. 네 오라비를 마지막으로 본 장소를 기억하느냐?"
"우움…저희 떡을 먹으러 가던 중이었어요!"
"떡? 설마…"

남준은 혹시나하는 마음으로 윤기의 말을 기억해내며 서아 떡집을 찾아 발을 옮겼다.

"여기서…"

이때 어디선가 앳된 남자아이의 목소리가 들려왔다.

"초원아!"

"음? 초원아, 저리 가보자."
"네!"

목소리가 들리는 쪽으로 따라 간 곳에는 초원이보다는 성숙해 보이는 남자아이가 양손을 입에 대고 소리치고 있었다.

"초원…! 아, 초원… 초원아!"

남준과 함께 있던 초원과 남자아이 아니 주원은 서로를 알아보고 달려갔다. 그런 아이들을 보며 남준은 안도하고 웃으며 그들을 향해 천천히 걸어갔다. 주원은 초원을 안으며 말했다.

"걱정했잖아… 정말."
"미안내…"
"근데 이분은…?"
"오빠 찾는거 도와주신 분!"
"아! 감사합니다, 나리."
"아니다. 찾아서 다행이구나."

배에 손을 얹고 90도로 인사하는 아이에게 웃어주던 남준은 옆가게가 떡집인걸 알고 이름을 보았다.

"서아...서아? 여기가 서아 떡집?"
"예에, 나리께서도 여기 떡집을 찾아 시전에 오신 것입니까?"
"떡집이 목적은 아니다만 이 근처에 볼일이 있어 겸사겸사 시전에 들린 것이란다."

남준은 주원에게 말한 뒤 떡집에 들어가 주인에게 돈주머니를 주며 아이들이 먹고싶은 만큼 떡을 먹게 해주라 말했고 아이들에게 인사한 뒤 옆옆옆 가게로 걸어갔다.

"드디어... 찾았다."

***

"와 얼마만에 쉬는 날 이야! 지민아 나랑 시전 갈래?"
"쉬는 날 이면 가만히 방에서 쉬어. 왜 나돌아다녀."

태형은 지민의 일침을 가볍게 무시하곤 시전으로 향하는 서화 산쪽으로 발걸음을 옮겼다. 해맑게 걸어가는 태형의 뒷모습에 지민은 한숨을 쉬며 뒤따라 갔다.

"어? 윤기 형님?"

"뭐?"

"저거 윤기 형님 아니야?"

태형의 손짓이 가리키는 곳을 보자 큰 나무 아래의 그늘에서 잠을 자고 있는 윤기가 보였다. 태형은 윤기에게 뛰어가 윤기를 흔들어 깨웠다.

지민은 소원과 함께 왔던 일이 떠오르며 잠시 생각에 빠졌다. 아니, 빠질 뻔 했다.

"야, 지민아. 클났어."

"왜. 무슨 일인데, 불안하게."

"윤기 형님… 안 일어나… 밟아도 안 일어나…"

"…숨은 셔…?"

지민과 태형이 심각해 하고 있을 때 윤기가 신음소리와 함께 눈을 떴다.

"형님!"

"야, 너는 사람을 그렇게 밟냐…"

"아니 죽은 줄 알고 그랬죠…"

"…여기 저승이다."

윤기가 자리에서 비척비척 일어나 옷 가지에 묻은 흙을 털자 지민이 말했다.

"오늘은 평소보다 더 안에서 자고 계시네요?"
"아 아까 남준이 만나서."
"여기로 가면 시전 밖에 없는데요? 그 형님, 시전 갔어요?"
"어."
"남준 형님 원래 시전 잘 안가잖아요. 무슨 일 있대요?"
"오늘이 인간 생일이래."

윤기가 폭탄과도 같은 말을 던지자 제일 처음 반응 한 것은 태형이었다.

"와! 그럼 우리 연회 열어요! 제가 대왕님께 허락 구해 올게요!"
"그럴 필요 없다. 이미 염라가 盛位館(성위관) 안에 있는 제일 큰 연회관에서 준비 중 일테니까."

가만히 윤기와 태형의 말을 듣고 있던 지민이 입을 열었다.

"그럼 오늘이 윤소원 생일인거 또 모르는 사람 있어요?"
"석진 형님, 정국이가 끝이야."

"그럼 최대한 윤소원한테 안 들키게 준비해야겠네요."

"그건 걱정 할 필요 없어! 소원이 요즘 늦게 일어나더라. 밤에 뭘 하나 봐."

"일단 그건 둘째 치고 시간 없으니까 빨리 내려가자."

지민이 먼저 산을 내려가자, 그의 뒷모습을 지켜보던 윤기가 말했다.

"조금씩 떠오르고 있는 것 같죠?"

"그런 것 같네."

"와 제가 그때 박지민 달래느라 얼마나 힘들었는데요!"

"그래도 서로 알아볼 때까지는 함구하자."

윤기는 어느새 보이지 않는 지민의 뒷모습에 피식 웃으며 산을 내려갔다.

***

"와… 또 늦잠 잤다. 요즘 왜 이렇게 잠이 많아진 기분이지?"

소원은 일어나 언제나처럼 탁자에 올려져 있는 한복을 보곤 씩 웃었다.

"오늘 한복은 평소보다 더 예쁘네."

소원이 한복을 입고 평소보다 들뜬 마음으로 방 문을 열고 나오자 사람들이 여러 상자와 장신구들을 들고 盛位館(성위관) 쪽으로 뛰어가는 것이 보였다.

"뭐야. 무슨 일 있나?"

그러다 배에서 들리는 밥 달라는 소리에 소원은 식당으로 걸음을 옮겼다.

오늘은 무엇이 있을까 기대되는 마음으로 식당문을 활짝 열고 들어가자 자신을 보고 마치 귀신이라도 본 것 마냥 깜짝 놀란 것이 아닌가.

"석진님? 이 시간에 여긴 어쩐 일이세요?"

"응…? 아니 그게…"

"아! 석진님도 늦잠 자서 이제 식사하러 오신거구나!"

"ㅁ…맞아! 근데 난 다 먹어서 이제 가보려고."

"에이 아깝다. 혼자 먹기 심심했는데."

"미안 급한 일이 있어서. 아 참, 오늘 저녁에 염라가 다같이 밥 먹자던데. 해가 지면 盛位館(성위관)안에 있는 연회관으로 올래?"

"네!"

석진은 다급히 주방장과 눈빛을 주고받더니 홀연히 사라졌다. 소원은 다급히 사라지는 그의 뒷모습을 보다가 자리에 앉았다.

"근데 진짜 신기한 게 저승은 조선과 현대를 섞어 놓은 게 많네요?"

소원의 말에 안에서 분주하게 움직이고 있던 주방장의 목소리가 들려왔다.

"태형 차사님께서 이승에서 신기하다고 하신 것들을 여기서 만드시거든요."

소원은 일전에 자신의 머리를 땋아 주었던 것을 떠올렸다.

"아, 그럴 수도 있겠네요. 근데 다들 안 보이는데 무슨 일 있어요?"

쿠당탕탕—

소원의 말이 끝나자, 주방 안쪽에서 뭔가 박살 나는 소리가 들렸다.

"저기… 괜찮으세요.?"

"예! 잠시만 기다리시면 식사 가져올게유…!"

주방장이 머리만 빼꼼 내밀어 말하곤 다시 들어갔다. 머리엔
흰 가루를 잔뜩 뒤집어 쓴 채로.

소원은 식당에서 우당탕 거리는 소리와 주방장을 이곳 저곳에
서 다급히 부르는 소리를 친구 삼아 밥을 먹었다.

"으악! 주방장님! 가루 날립니다!!"

"워메, 고거 들고 밖으로 나가!!"

"주방장님! 이거 더 이상 못 섞겠습니다!!"

"주방장님! 여기 불 났어요!!"

"왐마 나 좀 고만 찾고 알았어들 혀!! 니는 고만 박살내고!"

"…ㅋ"

평화로운 오후였다.

아마도.

***

그렇게 시간이 흘러 벌써 창 밖은 어둑해져갔다. 방으로 돌아
온 소원은 아까 석진에게 정확한 시간을 물어보지 않았던 것을
후회했다.

"아… 언제 가야 하지?"

그때, 문을 두드리는 소리가 방 안에 울려 퍼졌다. 소원이 총
알처럼 튀어 나가 문을 열자 문 앞에는 예상하지 못했던 사람이
서 있었다.

"지민님?"
"가자. 다들 기다려."
"태형님이나 정국님이 데리러 오실 줄 알았는데 지민님께서
오셨네요?"
"다들 바빠서. 빨리 가자."
"네!"

소원과 지민은 盛位館(성위관)을 향해 걸어가고 있었다. 묵묵
히 앞장서 걸어가던 지민이 갑자기 발걸음을 멈추고 뒤를 돌아
봤다. 그러더니 대뜸 소원에게 보자기 하나를 내밀었다.

"이게 뭐예요?"
"선물이야."
"갑자기 웬 선물이에요?"
"오늘 너 생일이잖아. 저승이랑 이승은 흐르는 시간이 달라.
이승에선 오늘이 네 생일이야."

"뭐야, 그럼, 다들 서프라이즈 해 줄려고 지금 나 부른 거예요?"

"그래."

"근데 나한테 이런 거 알려주면 안되는 거 아니에요?"

"그냥. 먼저 축하해 주고 싶었다."

"생일 축하한다, 솔연아. 네 생일을 가장 먼저 축하해 줄 수 있어서 기쁘구나."

"그때도 지금처럼 밤이었는데."

"…뭐?"

"…아니에요! 그나저나 저 이거 풀어봐도 되죠?"

소원이 바닥에 쭈그리고 앉아서 보자기를 풀어봤다. 보자기 안에는 연보라색의 고운 한복이 들어있었다. 그런데 왠지 모르게 한복의 디자인이 익숙했다.

"한복이네요?"

"잘 어울릴 것 같아서."

"지민님이 이때까지 아침마다 제 옷 가져다주신 거죠?"

"…어?"

"디자인도 비슷하고 장신구 만드는 스타일도 비슷하잖아요."

"디…랑 스타 뭐?"

"아 디자인은 설계? 같은 거고 스타일은 모양? 느낌? 같은거 에요. 이제 어휘풀이는 됐고 한복, 지민님 맞죠?"

소원이 말간 웃음을 지으며 지민을 봤다. 지민은 홀린 듯 소원을 바라보다가 입을 열었다.

"그래. 아침에 아직 안 일어났다는 말을 듣고 평소랑 다른 한복으로 바꿨는데 꽤 잘어울리네."

지민의 말에 소원은 자신의 옷 차림을 확인했다. 평소보다 조금더 화려하고 예쁘다 했더니 설마…

"제 생일이라서..?"
"…큼, 빨리 가자. 염라 화낼라. 너말고 나한테."
"네! 가요!"

소원은 지민의 뒤를 쫄래쫄래 따라가며 지민의 붉어진 귀를 바라보며 웃음을 삼켰다.
그렇게 盛位館(성위관)의 연회장에 도착하자 여기 저기서 폭죽이 터졌다.

"소원아! 생일 축하해!"

소원은 자신의 머리 위에 가볍게 착지한 종이를 손으로 털어 내며 말했다.

"뭐야, 저승에도 폭죽이 있었어요?"
"내가 이승 내려가서 사왔지!"
"태형님이요?"

소원이 물어보자 남준이 소원의 잔에 감주를 따라주며 말했다.

"쟤 오늘 일도 없는데 이승 내려갔다온거래."
"와… 감동…!"
"소원아. 근데 네 생일인건 내가 제일 먼저 알았따? 축하해주자고 한것도 나야!"

작은 키 때문에 의자위에 방석3개를 깔고 앉아 자신의 옆에서 조잘거리고 있는 염라를 소원이 귀엽다는 듯이 꿀 떨어지는 눈으로 쳐다봤다.

"단님, 왜 이렇게 큐티뽀짝해요?"
"머.? 큐티뽕짝?"
"귀엽다는 뜻이래요."

옆에서 남준이 대신 대답을 하자 단은 얼굴이 빨개졌다. 그러곤 고개를 숙이더니 결심했다는 표정으로 소원에게 말했다.

"조아! 넌 특별히 날 언니라고 부를 수 있게 해 주께!"
"온니~"
"소워나~"

서로 부둥켜 안자 주위 사람들은 못말린다는 듯이 둘을 쳐다 봤다.
소원은 상을 한번 쭉 둘러봤다. 오랜 만에 보는 이승의 음식에 반가운 마음이 들었다. 그러다가 그 사이로 다 쓰러져가는 하얀 무언가가 있었다.

"이건 뭐에요?"
"아 그건 주방장이 만든… 뭐라그랬지? 뭔 케쿡?"
"아 케이크~ 아까 낮에 식당 갔을때 이거하느라고 바쁘셨구나?"

소원의 말에 구석에 서있던 주방장이 멋쩍게 웃었다.

"사실 이승에서는 막 학원 다니느라 바쁘고 그래서 이렇게 파티 할 시간이 없었거든요? 놀건 다 놀긴 했는데, 그래도 진짜 고마워요."

소원이 활짝 웃자 단은 의자에서 내려오더니 자신의 몸집 만
한 큰 상자를 가져왔다.

"자! 선물!"

소원은 상자를 단에게서 넘겨받으며 상위에 상자를 올려 놓았
다.

"지금 풀어봐도 되는거죠?"
"웅!"

소원이 기대에 가득 찬 마음으로 상자 포장을 풀었다.

"와! 곰인형 이네요?"
"맞아! 서양에서 유행하는 물건이래!"
"넹.?"
"라고 남주니가 그래써."

소원이 남준을 쳐다보자 남준이 의기양양한 어투로 말했다.

"곰인형은 대왕님 선물이고 내가 선물한건 글귀다."
"글귀요?"

"그래. 뼈에 새기고 마음에 새길 수 있는 그런 글귀."

소원은 곰인형 머리에 붙어있는 하얀 종이를 바라봤다.

"'검소'?"
"그래! 자고로 인간은 검소하게 살며 사치를 부리지 말아야 하는것이다. 자칫 그 규율을 어기는 자들에겐 필시 화가 닥치는 법이지."
"진짜 T.M.T네요."
"뭐 티엠 뭐… ?"
"형님 말이 많다고요."
"…"

앉아서 조용히 밥을 먹던 지민이 남준의 원망스러운 시선에 고개를 살며시 돌렸다.

"진짜 다들 너무해…"
"(무시) 와 이 선물들은 뭐에요? 이것도 풀어봐도 되요?"

소원의 신난 모습에 다른 사람들은 흐믓하게 웃으며 고개를 끄덕였다.

"이 고양이 보기? 이건 석진님, 나무 밑 그늘 *한시진 대여권은 윤기님, 와 이 나비 모양 노리개는 호석님, 이 댕기는 태형님, 닭다리 양보? 이건 정국님."

*한시진: 30분

소원의 말을 들으며 다들 만족스럽냐는 듯한 눈빛을 보냈다.

"…좀 중간중간에 이상한게 섞여있긴 했지만 뭐, 다들 고마워요!"
"근데 지민이 선물만 없네?"

호석의 말에 모든 사람의 시선이 지민에게로 집중되었다. 그러나 정작 그 당사자인 지민은 신경을 쓰는지 안쓰는지 차만 홀짝였다.

"전 아까 줬어요."
"아까? 언제."
"오면서."
"야 이시끼야, 그럼 놀라게 해주는 의미가 없잖아!"
"그만 해요! 저 알고 왔었는데도 이렇게 감동 만땅으로 받았는 걸요?"
"소원이가 너 살린 줄 알아라."
"…"

아 잊고 있었다.

소원이 일이라면 뭐든 진심인 한사람.

"박지민 망자관리자. 6개월 감봉."

"예.? 이게 감봉까지 할 일…"

"7개월 감봉."

"예예…"

소원은 그런 둘을 바라보며 웃었다. 그러다 지민과 눈이 마주
쳤다. 당연히 금방 시선을 거둘 것이라 생각했었는데…

'왜 계속 쳐다보지?'

지민님이 나랑 눈을 마주친 순간 입가에 은은한 미소를 머금
고 나를 가만히 바라봤다. 그 표정을 본 순간 주변에서 사람들
이 떠드는 소리가 안들렸다. 이 공간에 오직 지민님과 단 둘이
있는 것 같은 느낌이었다.

'뭐야, 웃을 수 있었네.'

처음 보는 그의 웃는 모습은 따뜻하고도 왠지 모르게 가슴 아
팠다.

***

소원은 가만히 누워 오늘 있던 일을 상기시키고 있었다. 그런데 생각하면 할수록 계속 떠오르는 지민의 웃는 얼굴에 소원은 생각을 애써 멈췄다.

"웃는 얼굴. 진짜 예뻤는데."

그 말을 끝으로 소원은 잠에 빠져들었다.
그러고 잠시 후, 소원은 몸에서 느껴지는 이물감과 알싸한 소독약 냄새에 인상을 찌푸리며 눈을 떴다.

"소원아!! 선생님! 소원이 일어났어요!!"

'이게 무슨 일이지?'

"환자분. 정신이 드세요? 이거 몇개로 보여요?"

'왜 저승이 아닌거지..?'

"환자분! 환자분!"

'나... 설마 돌아온 거야...?'

.

.

.

.

《Behind》

[둘만 남은 瑚璉館(호련관) 복도.]

태형: 솔직하게, 니가 소원이 왜 제일 먼저 선물 준건데?

지민: …

태형: 아~ 무시 하지 말고~

지민: …그냥.

태형: 그게 뭐야..

지민: 그냥. 그러고 싶었다고.

생일파티 다음날, 어김없이 일을 재개하기 위해 밥을 먹으러 식당에 온 7명은 피곤한 기색으로 조용히 식사를 하고 있다. 아, 한명만 제외하고.

"뭐야 뭐야, 왜 다들 이렇게 죽상이여? 내가 약 좀 지어 주까?"

"..호석아, 너는 어제 그 엄청난 양의 축하용품을 치웠는데 어떻게 그리 멀쩡하냐?"

"나는 어제 기뻐하는 소원이 얼굴만 생각하면 기분이 좋아져서 힘이 막 생기는 걸!"

"그래, 그래. 어서 먹고 가자."

호석의 말에 지민은 어제 소원의 환한 미소를 떠올리며 살풋 미소를 지었다. 그러다 문득 잊은게 떠올랐다.

'아, 맞다. 한복.'

지민은 차분히 일어나며 말했다.

"저 먼저 일어날게요."

"어! 지민아, 그럼 나도…"

따라 일어나려는 석진의 어깨를 손으로 살짝 누르며 다시 앉힌 지민이 말했다.

"형은 천천히 더 먹고 와요. 아직 많이 남았네. 밥 남기면 벌
받아요."

진지한 표정으로 농담을 던지는 지민에 소름이 돋은 석진은
얌전히 앉아 다시 숟가락을 들었다.

"쟤가 말하면 다 사실같어.."
"그걸 진지하게 받아들이는 형도 참.."
"에? 나 뭐!"

석진과 남준의 투닥거림을 뒤로하고 지민은 한복을 챙기기 위
해 瑚璉館(호련관)으로 발걸음을 옮겼다.
개나리 색의 포근한 느낌이 드는 한복을 곱게 개어 손에 들고
소원의 방 앞으로 향했다.

똑똑—

예의상 노크를 하지만 깨지 않을 정도의 소리로 두드린 뒤 조
용히 들어간 지민은 책상 위에 한복을 살포시 올려놓았다. 그러
고는 뒤돌아 곤히 자고 있는 소원의 얼굴을 확인한 뒤 방을 나
왔다.

"아아 남주나아. 나 심심해. 벌써 정오가 넘었다구."

"네, 알고 있습니다."

시선은 오직 서류에 고정한 채 딱딱한 어투로 답하는 남준에 입을 내민 단은 짜증 섞인 목소리로 말했다.

"우씨…소원이 데려와. 소워니랑 놀래."

"안 됩니다. 할 일이 많아습니다."

"이잇..아 쫌! 걍 데려와아아!"

애꿎은 책상만 주먹으로 콩콩 쳐대며 단이 외쳤다.

"데려와, 데려와, 데려와."

"아이고야…참."

그런 단을 최대한 외면하기 위해 등을 돌리고 있던 남준은 계속해서 외쳐대는 단에 이마를 짚으며 나지막이 말했다.

"데려…"

"예, 갔다 오겠습니다."

"징짜?"

"예. 그때 동안 앞에 쌓여 있는 문서들, 다 정리하시는 겁니다?"

　강하게 고개를 끄덕이는 단에게 남준은 짧게 인사한 뒤 盛位
館(성위관)을 나와 瑚璉館(호련관)으로 향했다.
　소원의 방 앞에서 걸음을 멈춘 남준은 손을 들어 문을 두드렸
다.

　똑똑─

　안에서 아무 기척이나 소리도 없어 남준은 고개를 갸웃거리며
다시 문을 두드렸다.

　똑똑─

　'어딜 또 간 건가.'

　"소원아, 나 들어간다."

　여전히 기척 없는 방에 남준은 주인 없는 방일 거라 예상하며
조심스럽게 방문을 열고 들어갔다.

　"인간…? 아직도 자는 거야?"

들어간 방에는 침대에 누워 여전히 잠을 자고 있는 소원이 남준을 반기고 있었다. 하지만 소원의 편안해 보이는 몸과는 달리 표정은 좋지 않아 보였다.

"인간! 아니 윤소원. 소원아! 왜 그래, 일어나 봐!"

자고 있는 소원의 표정이 잔뜩 구겨지며 움직임의 정도가 심해지자 남준은 심각함을 파악한 뒤 소원의 어깨를 잡아 흔들며 깨우기 위해 노력했다.
1분 정도가 흐른 뒤 소원은 잠에서 일어나진 않았지만, 다시 평온한 표정을 한 채 눈을 감고 있었다.

"이거 뭔가 이상해."

평온해진 소원의 얼굴을 보며 심각해진 남준은 소원의 어깨까지 이불을 올려 덮어준 뒤 방을 뛰쳐나갔다.
심각한 표정으로 뛰어가던 남준을 본 호석은 목소리를 높여 남준을 불러 세웠다.

"남준아!!"
"어?"

급하게 뛰어가다가 호석이 부르는 소리에 멈춘 남준은 뒤돌아 자신을 부른 호석을 보고선 호석에게 다가갔다.

"어딜 그리 급하게 가냐."

"하아..마침 잘 만났다. 인간, 그니까 윤소원이 아직 안 일어났어. 근데 이게 마냥 늦잠이 아닌 것 같아. 아까 자면서 심하게 떨던데, 아무리 불러도 안 일어나. 일단 나는 염라한테 보고할 테니까 가서 윤소원 좀 봐줘."

"어? 어, 알겠어. 빨리 가봐."

남준과 덩달아 심각해진 호석은 마지막 말을 끝으로 뛰어갔다.

盛位館(성위관)에 도착한 남준은 노크를 함과 동시에 문을 열어젖히며 소리쳤다.

"큰일입니다!"

"옴마! 깜자가!"

"아, 죄송합니다. 지금 윤소원이 잠에서 안 일어나고 있습니다. 그냥 늦잠이 아닌 듯합니다. 제가 갔을 때 몸을 심하게 떨고 표정이 좋지 않았습니다."

"뭐? 소원이가?"

남준이 속사포로 내뱉은 폭탄 같은 발언에 단은 표정을 구기곤 머리를 짚으며 자리에서 일어났다.

"일단 남준이 넌 원인이 될 만한 것들 좀 알아봐 줘. 난 지금 당장 소원이한테 가봐야겠어."

"예."

남준의 대답을 듣기 전에 이미 문으로 발걸음을 옮긴 단은 빠르게 瑚璉館(호련관)으로 뛰어가기 시작했다.

같은 시각 한달음에 瑚璉館(호련관)으로 들어선 호석은 소원의 방으로 향했다. 심호흡을 하며 노크를 하려는 순간 호석의 뒤에서 인기척이 느껴졌다.

"형? 형도 걱정되서 오셨어요?"

"태형이랑 정국이?"

잠시 동안 태형과 정국을 번갈아 보던 호석은 이내 정신을 차리기 위해 고개를 저었다.

"아 지금 이럴 때가 아니지. 소원아!!"

문을 활짝 열며 소원의 침대로 뛰어간 호석을 뒤로 태형과 정국은 놀란 눈으로 서로를 쳐다보았다가 호석의 뒤를 따라 침대 쪽으로 걸어갔다.

"윤소원? 아직도 자는 거야?"

"남준이 말이 맞네. 애 표정이 안 좋아. 식은땀도 흘리는 것 같은데… 정국아, 물이랑 수건 좀 가져다줄래?"

"네? 네!"

놀란 것도 잠시 정국은 호석의 지시에 따라 움직이기 시작했고 태형은 소원의 상태를 보고는 금세 방 밖으로 뛰쳐나갔다.

잠시 뒤 정국이 물과 수건을 들고 오고 몇분이 지나 여러 명의 발소리가 소원의 방으로 가까워졌다.

"소원아!"

"석진이형! 에? 윤기형이랑 지민이도? 아, 태형이가 데려왔구나."

"네.. 윤소원은 좀 어때요?"

태형의 질문에 호석은 고개를 저으며 아직 일어나지 않음을 알렸고 소원의 방에 모인 7명은 착잡한 표정을 지으며 침대에 누워 있는 소원을 쳐다보았다.

벌컥−

"소워나! 우리 소원이는?"

"염라?!"

문을 박차고 들어온 단은 소원이 누워 있는 침대로 달려가 소원의 손을 잡았다. 그러고는 자신을 '염라'라고만 칭한 정국을 째려봤다. 단의 눈은 본 정국은 작은 목소리로 말을 덧붙였다.

"대왕님…"

만족한 듯 한 단은 다시 고개를 돌려 소원을 보고 손으로 소원의 얼굴을 매만지며 입을 열었다.

"소원이 상태는 어때? 많이 안 좋은 거야? 빨리 뭐라도 조치를 해봐아!!"
"…지금은 많이 안정된 상태예요. 언제 깨어날지는 저도 잘 모르겠습니다…"

단의 물음에 고개를 숙이고 답한 호석은 작은 한숨을 내쉬었다.
단은 소원의 손에 이마를 대고 있다가 천천히 일어서며 말했다.

"지금 이러고 있는 건 시간 낭비야. 모두 흩어져서 방법을 좀 찾자."

단의 말에 동의한 6명은 호석을 제외하고 모두 방 밖으로 발걸음을 옮겼다. 그때 호석은 윤기를 불러 말했다.

"형, 저희 한의원에 정이연이라는 직원이 있는데 이연이한테 이 쪽지 좀 전해주세요. 약재랑 이것저것 적은 종이예요."
"어, 그래."
"고마워요."

사람들이 나가자, 순식간에 적막에 휩싸인 소원의 방이었다. 호석은 걱정스러운 표정으로 소원을 보고는 침대 옆에 앉아 다시 간호하기 시작했다.
어둑해질 무렵 호석은 목을 돌리며 스트레칭을 하고 있었다.

똑똑-

"네에."
"형, 윤소원은요?"
"아직…너는 좀 얻은 게 있어?"

호석의 질문에 지민은 고개를 저으며 소원의 곁으로 다가갔다.

"하루 종일 수고했어요. 이제 제가 볼게요, 가서 쉬어요."

"괜찮겠냐? 일단 내가 할만한 약재나 침 치료는 해놨으니까 열 오르면 물수건으로 열 좀 식혀주면 될 거야."

"네."

"그럼, 부탁 좀 할게. 나도 가서 소원이 상태에 대해 더 알아 봐야겠다."

"네, 수고해요."

"그래, 너도."

호석이 나가고 지민은 호석이 앉아있던 침대 옆 의자에 앉았다.

지민은 인상을 찌푸리며 식은땀을 흘리는 소원의 이마를 수건으로 닦아주었다.

"잘 자네…"

손목의 맥을 짚어보니 잡힐 듯안 잡힐 듯 옅었다. 지민이 소원의 손을 꽉 잡았다.

"빨리 일어나… 소원아…"

***

"곧 있으면 우리가 만든 태극기가 이 세상에 나옵니다! 우린

숨지 않을겁니다, 도망치지 않을겁니다! 붙잡혀 적에게 죽는것은 두렵지 않으나 이 나라를 빼앗기는것만이 제겐 더 두렵습니다."

큰 단상위에 선 사람이 태극기를 흔들며 말했다.

"낭자, 이번 일만 잘 끝나면…"
"알고 있습니다."

지민은 솔연의 손을 꽉 잡았다.

"절대 다치지 마십시오."
"도련님께서도. 무탈하십시오."

대한독립만세!
대한독립만세!

지민과 솔연은 잡았던 손을 놓고 태극기를 흔들었다. 그러다 자신을 진압하러 다가오는 일본군을 향해 칼을 휘둘렀다. 그럼에도 두 사람은 멈추지 않고 말했다.

대한독립만세!

사람들의 만세 운동은 멈추지 않았다. 붉은 피를 흘리며 바닥에 쓰러져 있는 일본 순사와 우리나라 사람들. 바닥은 점점 붉은 피로 물들어갔다.

칼이 공기를 가르는 소리, 총소리와 사람들의 비명소리가 사방에서 들려왔다. 그럼에도 불구하고 사람들의 목소리는 결코 작아지지 않았다. 집에 숨어 있던 사람도 대한독립을 외치며 밖으로 나왔기 때문이었다.

그렇게 한참이 지난 후 일본군의 시체가 바닥을 가릴 정도가 되고 더 이상 일본순사들이 보이지 않자 사람들은 저마다 눈물을 흘리며 환호성을 질렀다. 지민과 솔연도 많은 인파속에서 서로를 찾았다.

"도련님!"
"낭자!"

지민과 솔연은 일본 순사들의 피를 잔뜩 뒤집어 쓰고 있었다. 솔연은 저 멀리 있는 지민을 발견하곤 그에게로 달려갔다.

그때, 사람들의 환호성 사이로 총소리가 들렸다. 순식간에 조용해진 장내 사이로 일본 순사들이 달려오는 소리가 들렸다.

"すぐに朝鮮人をつかむ!" (당장 조선인들을 잡아들이거라!)

솔연은 순간 따뜻해진 자신의 배를 바라봤다. 일본 순사들의 피를 뒤집어서서 티는 나지 않지만, 배에 손을 가져다 대자 진득한 피가 묻어져 나왔다. 솔연이 앞을 바라보자 사색이 된 지민이 자신을 향해 뛰어오는 것이 보였다. 그 모습을 바라보던 솔연의 몸이 무너졌다.

순식간에 자신의 앞으로 다가온 지민에 솔연은 일어나려 몸에 힘을 줬지만 몸이 말을 듣지 않았다.

"낭자!!"
"도련님…"

솔연의 몸을 한껏 끌어안은 지민의 눈에는 눈물이 고여 있었다.

"울지 마세요…"
"안된다… 안된다..솔연아!"
"제가 일전에… 했던 말, 기억하십니까? 제 서방님이 되어주셨으면 한다고 했던 말 말입니다."

솔연의 말에 지민이 고개를 끄덕였다. 그 모습을 보던 솔연이 품 안에서 가락지를 꺼냈다.

"그건… 저번 시전에서…"
"맞습니다. 그때 제가 하인을 시켜 몰래 사 두었습니다."

솔연이 웃으며 지민의 손가락에 가락지를 끼워주곤 그 손을 꼭 잡았다.

"독립된 조국에서 함께 하자고 했던 그 약조. 못 지켜서 송구합니다."
"제발… 마지막 인것 처럼 이야기 하지 마…"

솔연이 지민의 볼을 타고 흐르는 눈물을 손으로 닦아주었다. 지민은 그 손길을 애처롭게 붙잡았다.

"연모… 합니다, 도련님."
"안된다…! 솔연아… 눈을 뜨거라! 눈을 떠 보란 말이다! 제발…"

지민이 솔연을 끌어안으며 눈물을 흘렸다. 그 와중에도 솔연은 꿈쩍도 하지 않았다. 그런 솔연의 손에는 미처 자신은 끼지 못했던 가락지가 들려 있었다.

***

지민은 벌써 어둑해진 밖을 바라봤다. 그러다 자신이 잡고 있었던 소원의 손이 움찔 거리는 것이 보였다.

"소원아! 정신이 들…!"

"도련님…"

"…!"

지민은 깜짝 놀라 소원의 손을 놓았다. 그러자 소원의 감겨 있던 눈이 떠졌다.

"지민님.?"

"예전부터 이상한 느낌이 들었었다. 윤소원. 너는 도대체 누구지? 누군데… 누군데 계속 그 아이와 같은 말을 하냔 말이다…"

지민의 눈시울이 붉어지자 소원이 말했다.

"…처음엔 저도 헷갈렸어요. 제가 꾼 꿈이 그냥 꿈인지 아니면 현실인지. 근데 이제 알 것 같아요."

소원이 침대에서 몸을 일으켜 자신의 옆에 있는 지민의 얼굴을 바라보았다. 그러곤 지민의 눈에서 떨어지는 눈물을 손으로 닦았다.

"울지 마세요… 그 약조, 제가 못 지켰다고 이러시는 겁니까?"

"진짜… 솔연이인 것이냐..?"

"예. 제가 솔연 입니다. 늘 꿈을 꾸고 나면 그게 현실 인것 마냥 감각이 생생했어요. 그리고 이번에 이렇게 제가 오랜 잔 것도… 제가 지민님 알아보려고 그랬었나 봐요."

지민은 소원의 손을 꼭 잡고 소리 없이 흐느꼈다. 지민의 떨리는 어깨를 보던 소원은 말없이 지민을 끌어안았다.

"미안해요. 이제야 알게 돼서, 이제야 와서. 진짜 미안해요."
"나 계속 기다렸어… 환생 안 하고 여기서 있으면 혹시 환생한 네가 오지 않을까 하는 마음으로."

지민의 말에 소원 또한 눈물이 고였다.

"내가 더 미안하다, 소원아. 이렇게 가까이 있었는데도 바로 알아보지 못해서."

그의 말에 소원은 눈물을 참으며 말없이 그의 등을 토닥여 주었다.

.
.
.
.

《Behind》

지민: 솔연아.

소원: 아니죠. 난 이제 윤소원 이거든요?

지민: 뭐 어때. 같은 사람인데.

소원: 지민님 원래 이런 캐릭터였어요?

지민: 캐릭터?

소원: 평소엔 막 찬바람이 쌩쌩 불던데?

지민: 미안하다니까…

다음날 아침이 밝아오고 평화로운 盛位館(성위관)엔 찬바람이
불고 있다.

"남주나! 빨리 빨리!"
"대왕님, 위험합니다! 조금만 천천히…!"
"천천히는 뭔 천천히! 빨리 소원이한테 가야지."

밤을 샌 남준과 단은 날이 밝아옴과 동시에 瑚璉館(호련관)으
로 뛰어가고 있다. 그리고 도착한 소원의 방앞에는 석진과 호
석, 태형, 정국이 멍한 표정으로 가만히 서 있었다.

"뭐야, 왜 안들어가고 여기 있어? 소워니는 일어난거야?"
"아… 음 그게.."

단의 물음에 얼버무리는 석진이 답답했던 단은 문고리를 잡아
문을 열었다.

"염라! 아, 대왕님! 조금만 조용히.!"

정국의 외침을 듣기 전 이미 문을 열어버린 단은 침대에서 서
로의 손을 잡고 곤히 잠들어 있는 지민과 소원의 모습을 보곤
안심한 듯한 표정을 지었다.

"다행이다."

단은 안정된 발걸음으로 천천히 침대로 걸어가 소원의 머리를 쓰다듬었다. 인기척을 느낀 소원은 손가락을 움찔거리며 서서히 눈을 떴고 이내 단과 눈을 맞췄다.

"..대왕님, 오랜만인 것 같네요."

단에게 말을 걸며 환하게 웃는 소원을 본 단은 안도감이 몰려오며 밝은 미소를 띄웠다.

"응! 오랜만이야. 잘 잤어?"
"네. 걱정시켜서 죄송해요. 뒤에 분들도 마찬가지로요."
"아냐, 깼으니 됐어. 다행이다."

말소리에 눈을 찡그리던 지민은 이내 서서히 눈을 뜨며 엎드려 있던 상체를 일으켰다. 이에 잡고 있던 손은 자연히 놓아지게 되었다.

"아, 다 와있네. 소원아, 몸은 좀 어때?"
"전 괜찮아요. 지민님은요? 엎드려 있는거 허리 아플텐데."
"나도 괜찮아."

지민은 방에 들어와 있는 사람들을 무시한 채 소원의 안부를 물으며 소원의 머리를 정리해주었다. 이 광경을 보던 태형과 남준, 염라를 제외한 나머지 5명이 지민을 이상한 눈으로 바라봤다. 그 눈길을 아는지 모르는지 지민은 소원의 머리를 정리해주기 바빴다.

"야. 지민이 왜 저래?"
"몰라요. 형은 뭐 아는거 없어요?"

석진과 윤기가 뒤에서 수군거리자 염라가 말했다.

"혹시 모르니까 소워니는 오늘까지 푹 쉬고! 우린 소워니 쉬게 얼른 나가자!"

단이 빨리 나가자며 사람들을 등떠밀었다.

"아니… 염라!… 가 아니고 대왕님! 지민이형은요!"
"빨리 나가! 소워나 푹 쉬어!"
"아니…! 형! 윤소원!"

쿵-

사람들이 나가자 지민과 소원은 마주보고 웃었다. 소원이 지민의 눈가를 손으로 쓸며 말했다.

"지민님 눈 부은거 아니에요?"
"근데 너는 눈 안부었네?"

지민이 웃으며 말하자 소원이 말했다.

"전 안 울었었는데요?"
"거짓말. 안고 있었을 때 몸 떠는거 다 느껴 졌는데."
"아니이… 모른 척 해주시지…"
"몸은 정말 괜찮은 거야?"
"네! 몸도 가볍고, 괜찮아요!"
"다행이네."

지민이 자리에서 일어나며 말했다.

"옷 가져다 줄테니까 잠깐만 기다려."
"네!"

해맑게 대답하는 소원을 한번 보곤 소원의 방을 빠져 나왔다.
지민이 소원의 방문을 닫고 나오자 벽면에 일렬로 붙어있는 사
람들이 보였다.

"여기서 뭐 하시는 겁니까? 대왕님까지요."

"아니… 우린 소워니 잘 쉬고 있는지 걱정이 돼서…"

"맞아! 혹시나 뭔 일이 생기면 우리가 달려가서 도와주려고 그랬지 하하하"

"그렇지!"

단과 호석, 태형의 말에 지민은 한숨을 쉬며 소원의 옷을 가지러 갔다.

"아니 진짜 어젯밤에 둘이 무슨 일 있었다니까요?!"

"정국아, 네 눈에도 그렇게 보이지?"

"설마 이제 알게 된 건가?"

단의 혼자 중얼거리는 말에 옆에 서 있던 윤기가 물었다.

"네?"

"아냐~ 난 소워니나 한 번 더 보러 가야지!"

"안 됩니다."

"아! 왜애!!"

"어제 윤소원 일로 처리하실 서류들을 싹 다 미루셨잖습니까."

"그래두 소워니… 보고 시픈데… 어떻게 안 될까, 남주나?"

단이 반짝거리는 눈으로 남준을 바라보자, 순간 남준의 귀가 붉어졌다.

"우웅? 잠깐만 보고 올게!"
"하… 알겠습니다."
"야호!"

단이 신나서 방방 뛰며 소원의 방으로 들어가자 아까 지민을
향해있던 시선들이 이번엔 남준을 향했다.

"형, 설마…?"
"뭐뭐! 너네 할 일 없지? 각자 배당된 일 더 늘려줘?"
"그럴리가요. 지금 腐蔑館(부멸관)으로 돌아갑니다~"
"나도 이만 한의원으로 돌아가요~"
"난… 치즈나 보러가야 겠다!"
"그럼 난 어디가!! 윤기형! 나랑 이승 잠깐 내려갈래요?"

태형의 말에 윤기는 할 일이 있다며 먼저 자리를 떴다.

"칫. 어차피 나무 밑에서 누워있을 거면서."
"태형아? 넌 할 일이없는 거지?"
"난 뭐… 시전이나 가려고! 나간다!"

시끌벅적했던 복도가 조용해지고 고요한 적막속에서 남준은

홀로 서있었다. 계속 자신을 향해 웃으며 이야기하던 단을 떠오르자 남준은 고개를 저었다.

"하… 윤소원이 왜 그랬는지나 좀 찾아보자."

그렇게 며칠 후.

"지민님! 오늘 하루도 수고하셨어요!"
"하루종일 심심하진 않았어?"

지민이 소원이 앉아있는 자리 옆에 앉았다.

"태태님이랑 정국님이랑 같이 시전에 다녀왔어요!"

소원이 해맑게 웃으며 대답하자 지민이 소원의 손을 잡고 자신의 주머니에 넣으며 말했다.

"추운데 안에서 기다리지… 손이 차갑네…"
"보고싶어 죽겠는데 어떡해요!"

소원이 지민의 어깨에 머리를 기댔다.

"저승에도 달은 있네요?"

"그렇지? 여기서도 소원을 비니까."

"소원이요?"

"환생을 기다리는 사람들이 보통 빌어."

"전 안 죽었는데도 소원 빌면 이뤄질까요?"

지민이 소원의 이마에 짧게 입을 맞추며 말했다.

"이뤄질 거야."

"그럼 같이 빌어요!"

지민과 소원은 고요한 적막 속에서 눈을 감고 소원을 빌었다. 지민이 소원을 다 빌고 눈을 뜨자 소원은 아직 다 빌지 못했는지 눈을 감고 있었다.

바람에 흔들리는 풀 소리와 그 속에 있는 소원을 가만히 바라봤다. 마치 시간이 멈춘 듯이. 그러다 소원이 웃으며 살며시 눈을 떴다.

"다 빌었어?"

"네!"

"무슨 소원 빌었는데?"

"에이 이런 거 말하면 안 이루어져요! 그니까 비밀이에요!"

소원이 훌쩍거리며 몸을 살짝 떨었다. 그 모습을 본 지민이 소원을 일으키며 말했다.

"밖에 너무 오래 있으면 감기 걸려. 들어가자."

방안으로 들어와 지민은 소원이 누워있는 침대 옆에 몸을 뉘였다.

"근데 요즘에 왜 여기서 자요?"
"보고 싶었던 만큼 계속 같이 있고 싶어서."

지민이 이불을 정리해 소원의 목 끝까지 덮어주었다.

"오늘 하루종일 보고싶었어요."
"나도. 일하고 있는데 계속 네 생각만 하니까 석진이형 노발대발 하던데?"

지민의 말에 소원은 웃으며 지민의 품으로 파고 들었다. 이에 지민은 익숙하다는 듯이 자신의 팔을 내주고 소원을 가볍게 안았다. 추운 겨울이지만 서로의 온기 덕분인지 춥지 않았다.

"잘자요, 도련님."
"너도 잘자. 솔연아."

***

소원은 하얀 안개가 자욱한 곳에 홀로 서 있었다.

'여기가 어디지?'

그때 허공에서 목소리가 들리더니 하얀 피부에 하늘색 원피스를 입은 사람의 형체가 서서히 드러났다.

여기서도 잘 지내고 있나보구나.

'누구세요?'

음… 강단이 언니라고 하면 아려나?

'단님한테 언니가 있었어요?'

소원이 놀라 물어보자 앞에 서 있는 사람은 여유롭게 웃으며 소원의 앞에 멈춰 섰다.

옥황은 우리 아버지, 난 천계를 맡고 있고 단이는 저승을 관리하고 있지.

'근데 그런 대단하신 분이 저한텐 무슨 볼일 이신데요?'

네가 여기온 이유, 궁금하지 않니?

'네? 전 그냥 태형님이 실수로… 데려오신거 아니에요?'

넌 죽지 않았잖니. 그런데 어떻게 네 혼이 빠져나와 있었을까?

'그건…'

그러고 보니 한번도 진지하게 생각해 본적이 없었다. 죽은 사람이 아닌데 혼이 빠져나온것도 그렇고…

우선 네게 사과를 먼저 하마. 미안하구나.

'네? 왜…'

삼신도 단이도 그 외 다른 사람들도 지민이와 소원이 네가 다시 만나길 바랐었어. 네가 다시 태어날 때마다 삼신이 계속 그렇게 점지 해줬거든. 근데 지민이가 환생을 거부하더라고.

'저 기다린다고요.?'

그래. 자신이 환생 했을 때 네가 없으면 어떡하냐면서.

지민님은 내가 아무것도 모르는 윤소원이었을 때 홀로 얼마나 외로우셨을까.

넌 내일 이승으로 돌아갈 것이다.

'네? 이렇게 갑자기요?'

갑자기 들려오는 청천병력과도 같은 소리에 소원이 당황하자 앞에 있는 사람이 굳은 표정으로 말했다.

산 사람은 이곳에 오래 머물 수 없어. 너도 경험 했잖니? 이미 이승에서 눈을 뜬 적이 있을텐데? 그건 소원이 네 목숨이 위중하다는 증거야. 네 혼이 여기 있으니 혼 없이 버티고 있는 몸은 약해질 수밖에 없어.

'이렇게 갑자기 가야한다고 그러면 저보고 어떡하라구요…'

소원의 눈에 눈물이 고였다. 눈물이 차올라서 앞이 뿌옇게 변해 잘 보이지 않았다. 아무리 진정하려고 해도 소원의 내면에 있던 말들이 눈물과 함께 터져 나왔다.

'그럼 애초에 날 왜 데려온 건데요… 그냥 아무것도 모르면서 살게 두었으면 됐잖아요! 왜… 다 알게 만들어서 여기에 계속 있고 싶게 만드냐고요…'

삼신이 그러더구나. 이번엔 점지가 확실할 것이라고. 그러니 삼신을 믿어. 다시 만날 수 있을게다. 나 또한 약조하마. 무슨 수를 써서라도 다시 만나게 해 주겠다고.

'그 약속… 꼭 지켜주세요.'

소원의 말에 사람은 머리를 쓰다듬어 주었다. 그때 넓은 공간을 채우고 있던 안개가 서서히 거둬졌다.

이제 일어날 시간이구나. 마음대로 데려와서 미안했다. 그러나 내 약조는 꼭 지키마. 다시 만나게 해주겠다는 말.

***

소원이 침대에서 일어났다. 옆을 내려다보니 아직 잠에서 깨지 않은 지민이 자신의 한쪽 손을 잡은 채 누워있었다.

"…"

소원은 아무 말 없이 그 모습을 가만히 내려다봤다. 며칠 전까지만 해도 지민을 보면 전생의 기억이 복잡하게 떠오르곤 했었다. 지민에게 말은 하지 않았지만 소원은 이미 '솔연'이었을 때의 기억을 모두 되찾았다.

"이런 내가 당신을 두고 갈 수 있을까요?"

눈에서 눈물이 툭— 떨어지자 소원은 자신의 손을 붙잡고 있는 지민의 손을 조심스럽게 놓고 침대에서 내려왔다. 그러곤 바로 화장실로 향했다. 지민에게 혹시나 우는 모습을 들킬까 봐.

***

소원이 화장실에서 나오니 지민은 이미 침대에 없었다.

"어디 갔지?"

그때 지민이 옷을 들고 방으로 들어왔다. 괜히 소원은 울컥한 마음에 더욱 환하게 웃었다.

"잘 잤어요?"

지민은 소원을 보더니 옷을 탁자에 내려 놓고는 소원을 안았
다.

"잘잤지. 넌?"
"…저두요. 잘 잤어요."
"내가 머리 땋아 줄까?"
"지민님이요.? 태형님도 아닌데요?"
"…나도 그 자식 만큼은 해.."

지민의 말에 소원은 웃으며 의자에 앉았다. 가만히 앉아 지민
의 손길을 받고 있자 나른해 지는것 같은 기분이 들었다.

"…이런 기분도 오랜만이네."
"네?"
"다 했다."

지민의 머리 땋기 실력은 훌륭했다. 태형과 어깨를 나란히 할
수 있을 정도로.

"분홍색 댕기네요? 나한테 이거 안 어울리니까 하지 마라고
하지 않으셨어요?"
"아니… 그때는…그게…"

지민이 안절부절해 하며 대답하자 소원은 웃으며 뒤돌아 앉아 지민의 손을 잡았다.

"알아요. '솔연'이가 하고 다녔던 게 분홍색 댕기였잖아요."
"기억이 다 난 거야.?"
"네."
"좋다. 그 좋았던 기억들, 나만 가지고 있는 게 아니라 너도 가지고 있어서."
"나도 좋아요. 그 잊어버린 기억을 다시 찾고, 추억 할 수 있어서."

지민이 소원을 끌어안자 소원은 아무 말 없이 안겨 있었다.

"나 배고파요. 우리 밥 먹으러 가요!"
"옛날이나 지금이나 먹는 거 좋아하는 건 똑같네. 나가서 기다릴 테니까 옷 갈아입고 나와."

소원은 지민의 볼에 짧게 입을 맞추는 것으로 대답을 대신했다.
지민이 나가고 소원은 댕기를 만지작거리며 옷을 바라봤다.

'이 옷을 입는 것도 마지막이겠지? 내가 떠난다고 하면 다들 무슨 반응일까?'

소원은 침대 위에 놓여있는 곰인형을 세게 끌어안았다.

'말 못 하겠어… 내가 그 말을 어떻게 해…'

그렇게 소원은 한참 동안 그 자리에 멈춰 서 있었다.

***

"어? 소원아! 잘 잤어?"
"네! 태태님도 잘 잤어요?"
"난 뭐 늘 똑같지! 근데 그 댕기…"
"지민님이 해줬어요! 예쁘죠?"

소원이 해맑게 웃으며 말하자 태형은 박수까지 치며 예쁘다고
호응해 줬다.

"야 인간, 우린 안 보여?"
"에이 당연히 보이죠! 옆에 석진님이랑 윤기님, 호석님, 정국
님 저 어때요?"
"잘 익은 복숭아 같다."
"치. 자기는 설탕 같구만."

소원의 말에 나머지 사람들은 배를 부여잡고 웃었다. 소원이 수저를 들며 말했다.

"어, 근데 남준님은요?"
"남준이는 바빠서 오늘 아침은 거른대."
"그래도 배고프실텐데.. 제가 간단한 거라도 싸갈게요."

소원이 주방장에게 간단한 요깃거리를 만들어 달라고 부탁하자 지민이 입을 삐죽 내밀고 있었다.

"왜요. 왜 삐진 건데요?"
"내가 바빴을 때는 안 와줬잖아."
"그래도 지민님은 제가 저녁마다 안아 주잖아요. 아니면 남준님이랑 다른 분들도 안아 줄까요?"
"난 좋은.!"
"안돼."

정국이 말하자 지민이 단호하게 안 된다고 못을 박았다. 그 모습을 본 다른 사람들은 자신이 알고 있던 지민이 맞는지 의심이 들었다. 자신이 알고 있는 지민은 감정이 메말라 있고 여자에 '여' 자도 모르는 사람이었으니까.
두 사람이 티키타카 하는 것을 본 사람들은 생각했다. 지민이 드디어 사람 같다고.

***

소원이 盛位館(성위관)의 남준이 있다는 서고 문을 두드렸다. 그러자 곧 남준이 문을 열고 나왔다.

"윤소원? 무슨 일이야?"
"오늘 아침 거르셨잖아요. 그래서 간단히 드실거 가져왔어요!"
"일단 들어와."

소원이 남준을 따라 들어간 서고에는 사극에서 보던 서책들이 가득했다. 책장을 지나 안쪽으로 들어가니 책상이 하나 나왔다.

"손님이 올 줄은 몰라서… 좀 지저분하지?"

남준이 멋쩍게 웃으며 말하자 소원은 고개를 저으며 자리에 앉았다.

"여기요. 약과랑 감주에요."
"고맙다."

남준이 약과와 식혜를 먹고 있다가 소원의 표정을 보고 조심스레 무슨일이 있냐고 물었다. 소원은 그 말 한마디에 아침에 힘들게 참았던 눈물이 볼을 타고 흐르기 시작했다.

소원이 갑자기 서럽게 울자 당황한 남준은 먹던 약과를 내려놓고 소원을 달랬다.

"무슨 일이야."

"저… 내일 돌아간대요. 저… 내일 이승으로 간대요…"

"누가 말해 준 건데?"

"꿈에서 천계의 관리자님을 만났어요. 그분이 날 여기로 오도록 하셨다고 했는데..이제 이승으로 가야 한대요."

소원의 말에 남준은 등을 토닥이던 손을 멈췄다.

"다른 사람들은.? 알아…?"

"말 못 하겠어요… 도저히 제 입으로는…"

"그럼 이대로 가버릴 거야?"

남준의 말에 소원은 흐르는 눈물을 닦으며 품에 넣어 두었던 편지를 꺼내어 남준에게 건네주었다.

"내일… 이것들 좀 대신 전해주세요…"

소원이 떨리는 손으로 편지들을 전해주자 남준이 그것을 받았다.

"가면… 이제 못 돌아오는 거지?"

"네…"

남준이 자리에서 일어나 웃으며 손을 내밀었다.

"건강해라. 넌 어디서든 잘 할거야. 밝고 씩씩한 아이니까."

소원은 애써 웃으면 그의 손을 잡았다.

"네, 고마웠어요. 정말로."

***

소원이 밖을 바라보자 밝은 달이 까만 어둠 속에서 홀로 빛나고 있었다.

'곧 있으면 12시네…'

소원은 당장에라도 울것 같은 표정이었다. 그 표정을 바라보고 있던 지민이 분위기를 환기 시키려 입을 열었다.

"소원아. 나 궁금한게 있는데 나 왜 좋아했었어?"

"ㄴ…네?! 그걸 갑자기 왜 물어봐요!"

낯 뜨거운 말에 당황한 소원의 뺨이 붉어지자 지민이 소원의 옆에 가서 앉으며 말했다.

"넌 겁이 없었어."

소원이 자신을 보고 갸웃거리자 지민은 씩 웃으며 말을 이었다.

"어디서든 당당하게 이야기하는 게 난 부러웠어."
"네? 왜요?"
"난 그렇게 이야기할 만큼 용기가 크지 않아. 처음에 독립운동 단체에서 널 봤을 때부터 호감이 있었지. 그러다 서서히 네가 좋아졌어."
"…"
"네가… 네가 그 아이인지는 몰랐었지. 그 아이의 환생이 너라는 것도."

지민은 품에서 비녀를 꺼내어 소원의 머리에 있던 댕기를 풀고 비녀로 바꿔 끼웠다.

"이건 내가 네게 주려고 했던 거야. 이제야 제 주인을 찾아가네.”

“…지민님.”

“응?”

“…도련님.”

“왜 그래, 무슨 일 있었어?”

“저… 내일 돌아간대요, 이승으로.”

“뭐.? 근데 그걸 왜 지금…”

지민의 목소리에 소원이 어깨를 떨며 말했다.

“도저히… 말을 할 수가 없었어요… 정이 많이 들어버려서…”

소원이 입고 있던 옷 위로 눈물이 뚝뚝 떨어졌다.

“울지마.”

“미안해요… 내 생각만 해서… 내가 이기적이어서.”

지민이 소원의 눈가에 맺혀있는 눈물을 손가락으로 쓸었다. 그러곤 눈시울이 빨개진 채로 말했다.

“이기적이어도 상관없어. 걱정마, 네가 날 만나러 와 주었듯 이번엔 내가 널 만나러 갈 테니까.”

“…”

"한 가지만 약조 해줘. 긴 잠에서 깨어났을 때, 나 잊지 마. 내가… 꼭 만나러 갈 테니까 기다려줘."

"이번엔 꼭 지킬게요. 그러니까 나 꼭 만나러 와요. 나… 놓치지 말고 꼭 찾으러 와요."

소원이 지민을 끌어안았다.

"기다릴게요… 올 때까지 기다릴게요."

지민은 대답 대신 소원을 힘껏 끌어안았다. 그렇게 소원의 떨림이 잦아들고 소원이 지민의 품에서 살짝 떨어지며 지민의 얼굴을 보며 말했다.

"그때도, 지금도… 여전히 연모합니다."

그 말을 끝으로 지민의 품에 있던 온기가 사라졌다. 그러자 지민은 참아왔던 눈물을 터뜨렸다. 그때 밖에서는 비가 쏟아졌다. 마치 자신도 슬프다는 듯이.

지민은 애처롭게 울었다. 그때 밖에서 노크 소리가 들리더니 남준이 들어왔다.

"소원이가 전해 달래."

지민은 소원이라는 이름에 급히 편지봉투를 받아 뜯었다. 떨리는 손으로 편지를 들고 글자를 하나하나 읽어 내려갔다.

난 지민님을 만나기 위해 다시 태어났던 것 같아요. 나 여기 있는 동안 진짜 행복했어요. 그러니까 나 사라졌다고 너무 오래 슬퍼하지는 말아요. 다시 꿋꿋하게 일어나요. 꿋꿋하게 일어나서 나 만나러 와줘요. 기다릴게요.

지민은 편지를 끌어안고 계속해서 울었다. 이 와중에도 비는 그치지 않고 계속해서 내렸다. 남준은 쓰러질 듯 우는 지민의 등을 토닥여 주는 것 말고는 할 수 있는 것이 없었다. 그저… 지민이 빨리 털어버리고 일어나길 바랄 뿐이었다.

.

.

.

.

《Behind》

남준은 지민의 방에서 나와 다른 사람들에게도 소원이 건네주고 간 편지를 하나씩 건네주었다.

편지를 다 읽은 단이 남준을 부여잡으며 말했다.

"넌… 다 알고 있었지? 말해 줬어야지!"
"…힘들 것 같았대요. 자기가 간다고 했을 때 그 표정들을 보는 게."
"…"
"그냥 좋았던 추억들, 그대로 가져가고 싶다고 했어요."

남준의 말에 나머지 사람들은 숨을 죽였다. 누구는 갑작스러운 이별에 눈물을 흘리기도 하고 누구는 넋이 나간 듯 멍하게 서 있기도 했다. 한 사람으로 인해 시끌벅적했던 저승에는 사람들의 흐느끼는 소리로 가득했다.

'여기가… 어디…'

살며시 눈을 뜬 소원은 하얀 천장을 보며 천천히 고개를 돌려 옆에 있는 사람을 쳐다봤다. 소원과 눈이 마주친 소원의 엄마는 놀라며 그녀를 끌어 안았고 소원의 아빠는 의사를 불렀다. 순식간에 어수선해진 병실이었지만 소원은 멍한 표정으로 엄마의 등에 힘겹게 손을 올렸다.

"아이고…소원아, 정신이 들어? 엄마 알아보겠어?"
"응, 나 물 좀…"

목이 메여와 갈라진 목소리로 힘겹게 대답하는 소원에 소원의 엄마는 빠르게 물을 준비해 건네 주었다. 그와 동시에 달려온 의사를 맞이 했고 몇가지 검사를 받은 후에 다음날 퇴원을 하기로 했다.

"조금만 더 병원에 있는게 어때? 엄마가 걱정이 되서…"
"이제 괜찮아. 정말이니까 걱정 안해도 돼."
"…그래, 얼른 집에 가서 쉬자."
"응!"

"그때도, 지금도… 여전히 연모합니다."

자신이 말했던 순간이 떠오른 소원은 자신의 머리를 짚으며 얼굴을 찡그렸다.

"아!.."
"소원아! 왜 그래! 머리가 아파?"
"아…아니, 괜찮아. 갑자기 뭐가 떠올라서. 진짜 괜찮아, 다시 앉아."

'내가 이런 말을 했었나? 누구를 연모한다는 거지?'

놀란 엄마를 진정시키며 겨우 자리에 앉힌 소원은 안심시키기 위해 웃으며 머리로는 생각을 멈추지 않았다.
그렇게 다음날이 되고 소원은 자신의 편한 옷으로 갈아입고 짐을 차에 실은 후 뒷좌석에 몸을 실었다. 달리는 차 안에서 창문을 열고 바람을 쐬던 소원은 또 한 번 머리가 지끈거려왔다.

"하얀 꽃돌이 맞잖아요! 그럼 이름이 뭔데요?"

"하얀…꽃돌이? 이름이 뭐야… 왜 떠오르다 말아."
"응? 소원아, 뭐라고?"
"아, 아무것도 아냐."

소원은 자신이 말한 것 말고는 떠오르는 게 없어 답답함을 느끼며 시원한 바람을 느꼈다.

‘도대체 내가 언제 저런 말을…꿈을 꿨나?’

소원은 답답한 마음을 억누르며 눈을 감고 잠을 청했다. 얼마 지나지 않아 부모님의 목소리가 들려왔고 집 안으로 들어갔다.

“우와아 집이다아!”
“소원아, 뛰지 마!”
“네에~”

소원은 대답함과 동시에 자신의 방문을 열어 침대에 몸을 던졌다.

“아구~ 좋다.”
“소원아! 내려와서 밥 먹어!”
“네!”

그렇게 평화로운 일상으로 돌아온 소원은 안정을 되찾았고 어느덧 고등학교 3학년이 되어 개학 첫날이 되었다. 소원은 방학이 지나고 오랜만에 교복을 거울 앞에서 감상 중이었다.

“역시 나야. 잘 어울려.”

그때 소원의 머릿속으로 어떤 기억들이 떠올랐다.

"지민님! 저 어때요?"
"…"
"지민님? 저 별로예요?"
"…린다."
"뭐라구요?"
"잘 안 어울린다고! 어서 가자."

"허억! 하아하아..지민…? 지민님이 누구야. 요즘 안 이랬는데 갑자기 왜 이러지?"

바닥에 주저앉은 소원은 숨을 고르며 진정하기 위해 노력했다. 안정을 되찾은 소원은 조심스럽게 일어나 걱정할 부모님을 생각해 아무 일 없다는 표정으로 집을 나서기 위해 신발을 신었다.

"소원아, 밥은 먹구 가."
"아, 응."

신던 신발을 벗고 식탁에 앉아 식사하던 소원은 엄마의 눈치를 보다 입을 열었다.

"엄마, 혹시 지민이란 사람 알아?"

"응? 지민? 여자애야? 처음 들어보는데."

"아.. 그래?"

"왜. 그 친구랑 뭔 일 있었어?"

"아니, 꿈에서 만난 사람인가 봐. 드문드문 생각나는 게 있어서. 근데 생각날 때마다 좀 슬퍼. 다 먹었다. 나 갔다 올게!"

"그래, 차 조심하고!"

소원은 당부하는 엄마의 말에 환하게 웃으며 고개를 끄덕인 뒤 집을 나섰다.

횡단보도에 서서 건너편을 보던 소원은 한사람이 자신의 시야에 들어왔다.

'잘생겼다.'

시야에 들어와 있는 사람의 얼굴을 감상하던 소원은 사람들의 움직임을 느끼곤 뒤늦게 횡단보도를 건넜다. 횡단보도의 중간쯤 왔을 때 눈에 띄던 남자와 눈이 마주쳤다. 그 순간 소원은 이때까지와는 다른 큰 두통이 느껴졌다.

"아!"

머리를 부여잡고 주저앉아 버린 소원에 놀란 남자는 소원의 어깨를 잡으며 괜찮냐고 소리쳤지만 소원에게는 들리지 않았다. 얼굴을 찌푸린 채로 대답하지 않는 소원에 남자는 깜빡거리는 신호등을 보고는 소원을 부축해 횡단보도를 마저 건넜다.

남자의 품에서 힘겨워하던 소원은 땀을 흘리며 기절했다.

"소원아! 윤소원, 정신 차려!"

***

"허억!"

눈을 번쩍 뜨며 침대에서 일어난 소원은 익숙한 냄새에 주위를 둘러보았다.

"..병원?"

현실을 파악하며 자신의 상태를 확인하는 소원의 옆으로 횡단보도에서 보았던 남자가 다가와 소원을 힘껏 끌어안았다.

"정신이 들어? 아까 쓰러져서 내가 얼마나... 괜찮은거야?"

횡단보도에서 봤던 사람이 자신을 끌어안자 머릿속으로 수많은 장면들이 스쳐 지나갔다.

"이기적이어도 상관없어. 걱정마. 내가 날 만나러 와 주었듯 이번엔 내가 널 만나러 갈 테니까."

"…"

"한 가지만 약조 해줘. 긴 잠에서 깨어났을 때, 나 잊지 마. 내가… 꼭 만나러 갈 테니까 기다려줘."

"이번엔 꼭 지킬게요. 그러니까 나 꼭 만나러 와요. 나… 놓치지 말고 꼭 찾으러 와요."

"지민님…? 맞죠, 하얀 꽃돌이."

남자는 소원의 말을 듣고 놀란 눈으로 그녀를 쳐다봤다. 그런 그의 반응에 확신에 찬 소원은 목소리에 힘을 주어 말을 이었다.

"다 기억났어요. 모든 게."

"…"

"갑자기 기억들이 한 번에 돌아와서 당황스럽지만."

"그럼… 나 기억해.?"

소원은 기억한다는 말 대신 싱긋 웃는 것으로 대답을 대신했다.

"이렇게 다시 보니 기쁘네요, 도련님."

소원의 말을 끝으로 지민은 그녀를 더욱 꽉 껴안으며 소원의 어깨에 이마를 기대었다.

"보고 싶었어, 정말."
"…저두요. 늦게 기억해 내서 미안해요…"

그렇게 두 사람은 어정쩡한 자세로 계속 안고 있다가 지민의 다리가 후들거리자, 소원이 아차 하며 지민에게 안겨있던 몸을 뗐다.

"그나저나 어떻게 온 거에요? 설마… '차사'로 직업 바꿨어요?"
"아니. 염라가 시켜주던데?"
"그럼, 환생이에요?"
"그렇다고 할 수 있지."

지민이 침대 옆에 있던 의자를 끌어와 앉았다.
그런 지민의 행동을 유심히 보던 소원이 말했다.

"근데 왜 성인이에요? 게다가 어떻게 다 기억하는 건데요?"
"염라가 손 써줬지."

지민이 소원의 머리를 쓰다듬었다. 그의 손길을 가만히 앉아서 받고 있던 소원이 조심스레 말했다.

"그럼, 이제 아무 데도 안 가는 거에요.?"
"당연하지."

　지민이 싱긋 웃자, 소원도 덩달아 웃었다. 그런데 소원이 한가지 잊고 있던 것이 있었으니…

　벌컥ー!

"소원아!!"
"소원아! 괜찮아?"

　아참, 나 학교 가고 있었지?

"내가 연락받고 얼마나 놀랐는 줄 알아?! 횡단보도에서는 왜 졸도한 건데?"
"그래, 나도 출근하려다가 놀랐단다. 왜 그런 거니?"
"아니; 엄마, 아빠 진정 좀 해봐."
"아니, 내가 지금 진정하게 생겼니?! 다시 정밀검사를…!"

엄마는 펄쩍펄쩍 뛰다가 소원의 옆에 앉아있는 지민을 이제야 발견한 건지 갑자기 조용해졌다.

"…안녕하세요?"

"아… 예. 근데 그쪽은 누구신데 제 딸이랑…"

"아, 저는 솔연..이 아니라 소원이와 혼인 할 뻔한 사람입니다."

"…네?"

지민의 갑작스러운 혼인 발언에 깜짝 놀란 소원이 지민과 엄마를 번갈아 쳐다보다가 다급히 말했다.

"아니야! 원래 알던 사람인데 꿈꾸셨나 봐! 나 쓰러졌을 때 병원으로 데려다주신 분이야! 맞죠?"

소원이 지민의 팔을 치며 장단을 맞추라는 듯이 눈빛을 보내자, 지민은 아차 하며 말을 이었다.

"아, 맞아요! 소원이 옆에 있다가 잠이 들었었는데 꿈에서 소원이가 나왔었거든요.!"

"아 그러시구나. 우리 소원이 병원까지 데리고 와줘서 고마워요."

엄마가 지민의 손을 꼭 잡으며 말하자 지민은 안절 부절해 하며 연신 허리만 숙여댔다.

"맞다! 나 학교는?"

"엄마가 쌤한테 전화 해 놨어. 그러니까 여기서 수액 다 맞을 때까지만 좀 쉬어."

"엄마, 아빠 가게?"

"아니? 여기있… 윽!"

"엄마랑 아빠는 출근 해야지~ 그럼 지민씨, 우리 소원이 좀 잘 부탁해요~"

엄마가 아빠의 옆구리를 찌르고 이야기를 했다. 그러다 나가기 전, 소원의 귀에 대고 소근거리며 말했다.

"엄만 찬성이다."

깜짝 놀라 엄마를 바라보자 엄마는 이미 아빠를 끌고 병실을 나간 뒤였다. 순식간에 내려앉은 적막에 한숨을 쉬다가 문득 지민을 바라보자 넋이 나간 상태로 서 있는 것이 보였다. 그 모습을 보고 있으니 웃음이 터져 나왔다.

소원의 웃음소리에 정신을 차린 지민이 소원을 바라보며 말했다.

"나… 잘한 거 맞겠지.?"

"잘했어요. 우리 엄마도 맘에 들어 하던데요?"

"다행이다…"

소원의 말에 긴장이 풀린 지민이 의자에 털썩 앉았다.

"그렇게 긴장됐어요?"

"당연하지! 이런 식으로 인사드릴 줄은 몰랐는데.."

"지민님은 뭘 해도 멋져요. 그니까 그런 생각 하지 마요."

소원이 지민의 머리를 쓰다듬다 지민이 기분 좋다는 듯이 웃
으며 말했다.

"네가 먼저 내 머리 쓰다듬어 주는 건 처음인 것 같은데?"

"그래서, 싫어요? 하지 말까요?"

소원이 장난스레 웃으며 말하자 지민도 소원을 따라 웃었다.

"아니. 좋아. 그러니까 내 옆에서 계속해 줘."

"뭐에요.! 그런 구준표 같은 말은?!"

"뭔 준표?"

"'꽃보다 남자'의 구준표요!"

"사람 이름이야?"

"음… 등장인물도 사람이니깐. 맞아요."

"그놈이 너한테 저런 말을 했다고?"

지민의 주위가 후끈후끈해지자 소원이 재빨리 다른 화제로 돌렸다.

"그건 그렇고! 집은요? 어떻게 살았어요?"

"염라가 환생시켜 줄 때 직업이랑 뒷배경들 다 조작해 줬어."

지민이 소원을 끌어안자, 소원이 당황하며 말했다.

"갑자기? 이렇게 갑자기 안는다구요?"

"다른 놈들 이야기 그만하고 우리 이야기하자."

"네.?"

"그… 종표인가 뭐 그런 것들한테 신경 그만 쓰고 네 이야기 해줘. 어떻게 지냈는지."

"음… 난 뭐 평소처럼 지냈죠? 학교 갔다가 학원 가고 친구랑 놀고."

"기다린다며… 그래서 빨리 왔는데…"

소원은 지민의 툭 튀어나온 입을 보고 순간 병아리 같다고 생각했다. 애써 터져 나오려는 웃음을 꾹 참으며 소원이 지민의 양쪽 뺨을 잡으며 말했다.

"에이~ 그래도 결국엔 기억 해냈잖아요~ 그러니까 나 좀 봐요, 네?"

지민은 살짝 숙이고 있던 고개를 드는가 싶더니 소원의 입에 짧게 입을 맞추었다.

"뭐에요…! 미자한테 스킨십하는 건 범죄거든요.!"
"저승에선 나랑 같이 자기도 했잖아?"

지민이 심술 궂게 말하자 소원의 얼굴이 붉게 물들었다.

"아니…! 말은 똑바로 해야죠! 그냥 잠만 잤죠. 누가 들으면 오해 할…"
"어머, 미안해요. 조금 있다가 다시 올게요.! 하던 거 마저 해요.!"
"…"

소원과 눈이 마주친 간호사가 얼굴이 빨개지더니 조금 있다 오겠다며 급히 자리를 떴다.
소원의 이런 당황스러운 마음을 아는지 모르는지 지민은 싱글 벙글 웃으며 소원을 쳐다보고 있을 뿐이었다. 그 모습을 보고 있자니 웃음이 나와 소원도 따라 웃을 수밖에 없었다.

***

그렇게 몇 년이 지났을까. 난 어느새 대학생이 되어 있었다.

"아씨 내가 수강 신청만 성공했어도 1교시 들을 시간에 잠이나 자는 건데.!"
"소원아, 빨리 와!"
"염라… 가 아니고 단아!"
"이제 좀 익숙해질 때도 되지 않았어, 친구야?"

단의 볼이 빵빵하게 부풀어 오르자 소원이 웃으며 말했다.

"가끔 생각나서. 그때 일이. 지금 생각해 보면 진짜 꿈인 것 같은 느낌?"
"내가 박지민 환생시키고 나머지 애들이랑 나까지 내려오느라 얼마나 힘들었는데~"
"그니까. 환생하고 이승에서 마주쳤을 때 내가 얼마나 놀랐는데."
"근데 우리 뭔가 잊고 있는 것 같지 않아?"
"아 맞다! 학교.! 뛰어!!"

이렇듯 우리는 평범한 일상을 보내고 있었다.

석진님은 플로리스트로.

"네, 손님! 또 오세요~"

남준님은 회계사로.

"여기 이 부분에서는 이 방법보다 이게 조금 더 효율적일 것 같아요."

설탕님은 고양이 카페 사장님으로.

"알아서들 놀아라."

호석님은 소아과 의사로.

"와! 이 곰돌이 봐봐! 귀엽지? 이 곰돌이가 우리 친구 배 아야 한지 봐줄 거예요~"

태형님은 애견 미용사.

"가만히 잘 있네~ 아이구 착해!"

정국님은 경찰.

"순찰 갈게요~"

그리고 마지막으로 지민님은 대기업 회장님 아들로.

"좋습니다. 회의는 여기서 마무리하도록 하죠."

각자의 자리에서 열심히 일상을 살아가는 중이다.
그렇게 또 한해가 지나고 겨울이 왔다.

"오빠!"
"안에 들어가서 기다리지.. 안 추워?"
"오빠 만날 생각하니까 안 춥던데?"

소원이 웃자 지민은 소원의 손을 잡아 자신의 코트 주머니 속
에 넣었다.

"손이 얼음장인데도 안 춥다고?"
"오빠 손이 뜨거운 거거든~"
"우리 좀 걸을까?"
"좋아!"

거리를 거닐다 보니 저마다 한 해를 마무리하려는 사람들로 가득했다.

"아참, 그때 무슨 소원 빌었었어?"
"다시 태어나게 된다면 한날한시에 같이 태어나게 해주고 반드시 서로를 알아볼 수 있게 해주고 같은 날, 같은 시간에 죽게 해달라고 빌었었다."
"그런데 지금 이렇게 이미 만났잖아."
"그럼 저 소원은 삼신한테 다음 생에 이뤄달라고 할까?"
"우리 그때도 서로 알아볼 수 있을까?"
"오래 걸려도 난 꼭 널 알아볼 거야, 솔연아."
"치— 저 지금은 윤소원이거든요? 괜히 질투 나게."

그때 작은 눈송이가 떨어졌다. 길거리에 걸어가던 사람들도 저마다 발걸음을 멈추며 하늘에서 내리는 눈을 바라봤다.
예쁘게 내리고 있는 눈을 보며 소원의 입가에도 은은한 미소가 피어올랐다.

"기다려줘서 고마워, 소원아."
"나야말로. 잊지 않고 기다려줘서 고마워."

저녁 길거리에 내리고 있는 눈들이 가로등 불빛에 비춰 아름답게 빛나고 있었다.

이제야 비로소 시공간의 제약에서 벗어나 함께 할 수 있게 된 둘은 이승의 길 위에서 영원한 사랑을 약속했다.

.

.

.

.

《Behind》

강단: 남 주나! 우리 저기두 가보자!

남준: 천천히 가요. 넘어집니다.

강단: 넘어지면 남주니가 업어주겠지, 안 그래?

남준: 안 넘어져도 업어줄 테니까 속상하게 다치지 마요.

비녀(簪) Fin. 2023 . 12 . 31 . Sun

외전1

소원이 이승으로 돌아가고 어느새 한 달이라는 시간이 흐른 저승에는 어두운 공기와 죄수들의 비명소리만이 가득 퍼지고 있다.

"하아.. 조용히 해라, 이것들아."

腐蔑館(부멸관)에서 죄수들이 갇혀있는 철창에 기대고 서있던 정국은 마른 세수를 하며 한숨을 쉬었다.

"인간 없어진지 한 달밖에 안 됐는데 벌써 허전하냐…"

***

빵모자를 눌러쓴 정국은 좁은 골목 어귀에서 누군가와 마주하고 있다. 정국은 남자의 앞에서 조심스럽게 자신의 손목을 보여주었고, 남자는 정국의 손목에 있는 '別'(나눌 별)자를 보고 정국에게 미소를 지어 보였다. 금세 자신의 표정을 지운 남자는 정국의 큼지막한 가방 안에 보자기로 둘러싼 물건 하나를 넣어주며 작은 목소리로 입을 열었다.

"조심하시오. 이 물건이 일본군에게 발각되는 순간 순식간에 모든 일이 물거품이 돼버릴 테니."
"예, 알고 있습니다. 수고하셨어요."

정국은 소매를 끌어내려 자신의 손목을 가린 뒤 가방을 닫고 고개를 숙여 남자에게 예를 갖췄다. 남자는 정국의 인사를 뒤로하고 빠르게 골목 깊숙한 곳으로 발걸음을 옮기고 있었다. 정국 또한 자신의 가방을 손으로 만지작거리며 골목을 빠져나와 자신의 아지트로 향했다.

자신이 가지고 온 태극기 목판으로 모두가 행복해하였고 이 물건으로 대한독립만세를 할 생각에 들뜬 정국이었지만 이 느낌은 오래가지 못했다. 순식간에 아수라장이 된 현실을 바라보던 정국은 이성을 잃고 일본군에게서 총을 빼앗아 일본군을 해치고 있는 자신을 마주했다. 총알을 다 쓴 총을 들고 정신을 차린 정국은 총을 떨어뜨리고 자신의 떨고 있는 손을 내려다보았다. 누군가의 피로 손이 끈적했고 얼굴에는 굳은 피가 가득해 안면이 잘 움직여지지 않았다. 떨고 있는 정국을 무력으로 제압하는 일본군들에 정국은 저항하지 못하고 결국 끌려가 안타까운 죽음을 마주하게 되었다.

***

"…이제 추억이 됐네. 태극기 목판 받고 진짜 기뻤는데."
"그러냐?"

고요하던 腐蔑館(부멸관)에 자신 말고 또 다른 목소리가 들려오자 흠칫 놀란 정국은 자신의 앞에 서 있는 신발을 보고는 천천히 고개를 들어 신발의 주인을 쳐다봤다.

"아, 깜짝아. 남준형님이시구나."
"그래, 나다. 염라가 불러. 가자."
"염라가요?"
"어, 태형이도 데려오라던데. 어딨는지 아냐?"
"아뇨. 뭐 일 나갔거나 瑚璉館(호련관)에 있거나 둘 중 하나 아니겠어요?"
"그렇겠지. 그럼 너 먼저 盛位館(성위관)에 가 있을래? 태형이 데리고 갈게."
"네, 그럴게요."

정국과 남준은 서로 갈 길을 가기 위해 고개를 돌려 발걸음을 옮겼다.

瑚璉館(호련관)에 도착한 남준은 곧장 태형의 방으로 걸어갔다.

똑똑-

"네에."

태형의 졸음 가득한 목소리가 들려오자 남준은 입꼬리를 살짝 올리며 문을 열었다. 방안에는 온갖 장신구들이 널브러져 있었고 이불을 몸에 두른 채 침대에 가만히 앉아 있는 태형을 마주했다.

"어이구야. 네가 왠일이냐, 방이 다 어지럽혀져 있고?"
"아, 오랜만에 옛날 생각이 나서 추억 팔이하다 보니…하핳"
"그러고 보니 너 전생에 꽤 부자였다고 했었지?"
"네…뭐 돈이 많은 편이긴 했는데 좀 지저분한 집안이었죠."

***

태형은 일본과 각별한 관계를 지니고 있는 집안의 막내 아들로 태어나 부족한 것 없이 건강하게 자라고 있었다. 아니 그런

줄 알았다. 여성들을 장신구로 꾸며주고 화장해 주는 일을 즐겨 하던 태형은 오늘도 어김없이 부모님 몰래 미장원으로 발걸음을 옮겼다. 태형이 일하던 곳은 경성에서 꽤 큰 규모의 가게였고 온갖 소문과 이슈들이 모이는 장소이기도 했다. 이러한 환경 때문이었을까, 태형은 이 모든 안 좋은 소문의 중심이 되는 일본에 대해 혐오감을 느끼게 되었고 그 때문에 자신을 포함한 김씨 집안을 싫어하게 되었다. 미장원에서 일하면서 알게 된 몇 안되는 인맥 중 '솔연'이라는 낭자를 통해 독립운동에 대한 이야기를 듣게 되었다.

"태형씨 믿고 말하는 거에요."

"저의 어떤 부분을 보고 믿는다고 하시는 건지…?"

"저는 사람의 눈을 보고 그 사람을 내면을 들여다 보지요. 태형씨의 눈을 처음 보았을 때 믿어도 될만한 사람이라는 걸 느꼈습니다. 물론 제 착각일지도 모릅니다. 또 이 일을 후회하게 될수도 있겠죠. 하지만 저는 해보지 않고는 모르는 일이라 생각해요."

"…우선 저를 믿고 말씀해 주었음에 감사하오."

"저희와 함께해주실 거라 당연하게 생각하지 않으니 이 제안에 대해선 천천히 답 해주셔도 괜찮습니다."

"아니…! 하겠소. 내가 할 수 있는 한에서 최대한 돕겠소."

태형의 말에 솔연은 눈을 크게 뜨며 흔들리는 동공으로 태형을 바라보았다. 태형은 드디어 자신이 할 수 있는 일이 생겼음에 기뻐했고 솔연 역시 든든한 동료가 생겼다는 생각에 기뻐하고 있었다.

이 일을 이후로 태형은 숲속 깊은 곳 어딘가에 위치한 낡은 집 밑에 아지트를 마련하여 솔연이 소속된 독립 단체에게 내주었고 금전적으로 필요한 일이 있으면 아낌없이 지원해 주어 독립운동에 힘을 보태주었다.

그러던 어느 날, 태형의 행동을 유심히 지켜보던 태형의 아버지는 그의 행동을 지켜보고 추궁하며 닦달하기 시작했다. 태형은 아무 말도 하지 못하고 대충 얼버무리며 대답하기를 피했고 그의 아버지의 추궁은 날이 갈수록 심해졌다. 태형의 어머니와 형제들은 무시하기 일쑤였고 태형은 아버지에게 맞으면서도 절대 입을 열지 않았다.

아버지에 의해 방안에 갇히게 된 태형은 반짝거리는 반지와 핀들을 만지작거리며 망가진 자신의 몸을 거울로 보며 한숨에 가까운 웃음을 지어 보였다. 밖에서는 솔연이 말해준 대로 독립운동이 벌어지고 있었고 그와 반대로 무기력하게 앉아만 있는 자신에게 화가 치민 태형은 종이와 붓을 들고 와 급히 글을 쓰기 시작했다.

『대한 독립 만세』

"제발…"

태형은 독립군의 표식인 6자가 적힌 종이를 곱게 접어 자신이 아끼던 비녀로 벽에 박았다. 이 방에 들어오는 누구든 잘 볼 수 있는 위치에. 그리고 천장에 밧줄을 매달아 의자를 딛고 서서 자신의 목을 밧줄에 걸었다.

"할 수 있는 일이 이것뿐이라 송구합니다. 벌을 받는다면 그 어떤 벌이든 달게 받을 테니 이 나라가, 우리의 조국이… 평화를 누릴 수 있도록 해주세요. 대한 독립 만세."

***

"태형아! 무슨 생각해?"
"아, 아무것도 아녜요. 근데 제 방엔 무슨 일로 오셨어요?"
"염라가 불러. 盛位館(성위관)으로 가자."
"염라가요?"

태형이 되묻자 남준은 고개를 끄덕이며 태형의 손목을 잡고 이끌며 盛位館(성위관)으로 향했다.
저항 없이 이끌려 온 태형은 이미 와있는 정국을 보곤 고개를 갸웃거렸다.

"너도 왔네?"

"네."

　태형과 정국을 데려오라는 임무를 완수한 남준은 잠깐 나가
있으라는 염라의 명을 받들어 몇 가지 서류를 챙겨 집무실을 나
왔다.
　남준이 나가는 것을 확인한 염라는 멀뚱히 서서 자신을 보고
있는 태형과 정국에게 천천히 다가갔다.
　두 사람 앞에 멈춰 선 염라는 힘 빠진듯 웃으며 긴장한 기색
의 두 사람을 귀엽다는 듯 쳐다봤다.

　"뭘 그리 긴장을 했어어."
　"어…그게 평소 염라…대왕님 분위기와 좀 다른 듯 하셔서.."
　"움…그런가? 아무튼 오늘은 너희에게 특별한 날이야."
　"특별한…날이요?"
　"그래, 눈을 감아볼래?"

　염라의 말에 두 사람을 의문을 가득 안은 채 천천히 눈을 감
았다. 염라는 손을 뻗어 두 사람의 이마에 손을…

　"우씨..안 닿아. 쫌만 숙여 봐."

　서둘러 높이를 낮춘 두 사람은 그대로 눈을 감고 있었고 염라
는 낮아진 높이에 만족하며 두 사람의 이마에 손을 올렸다.

"이제 눈 떠두 돼."

염라의 말에 눈을 뜬 두 사람은 빛을 보는 데 시간이 걸렸다. 서서히 빛에 익숙해지던 눈에는 익숙하지만 낯선 공간이 들어차기 시작했다. 놀란 정국은 눈이 커졌고 태형은 이 장소를 파악하는 데 시간이 좀 걸렸지만 이내 깨달은 듯 손으로 자신의 입을 막았다.

"여기는…"
"그래. 태형이가 정국이 네가 소속되 있던 조직을 위해 마련해 줬던 비밀기지야. 기억나지?"
"당연하죠. 여기서 엄청 많은 일이 있었어요. 처음으로 기지가 생겼다는 사실에 작은 축하연도 열었었고 처음으로 작전회의를 하고 실행하도록 해줬던 장소였어요. 또 처음으로 태극기 목판을 저희의 품에 왔음을 확인하고 기뻐할 수 있게 해준 소중한 장소이기도 해요."
"…여기서 많은 걸 처음으로 했구나. 나도 너희와 함께였다면 좋았을 텐데."
"형은 늘 저희와 함께였어요. 매일매일 형에게 감사하며 기지를 사용했으니까."

정국은 미소를 지으며 진심을 다해 태형에게 고맙다고 전했

다. 그런 두 사람을 쳐다보던 단은 단호한 목소리로 입을 열었
다.

"너희는 오늘 여기에서 환생을 하게 될 거야."
"예?"
"어?"

동시에 놀라며 단을 쳐다보자 단은 개의치 않고 말을 이었다.

"한 번만 말할 거니까 잘 들어."

단은 자리에서 일어나 자신의 뒤에 있던 족자를 펼치며 말했
다.

"차사 김태형 환생!"
"예?"
"뭐. 문제 있어? 네 죗값 다 치렀어."
"예? 아니 이렇게 바로?"

진지하게 듣던 태형은 왠지 허무하게 끝난 자신의 환생 발표
에 당황하여 얼빠진 얼굴로 단을 쳐다봤다.

"그래, 이렇게 바로. 아 아니다. 정국이 끝날 때까지 기다료."

"에…"

"腐蔑館(부멸관) 관리자 전정국 환생!"

"헐…이걸 좋아해야 돼?"

"그럼 좋아해야지 안 좋아? 환생 포기할래?"

"아뇨! 아뇨! 할게요. 한다구요."

"그래, 구래야지. 자 그리고 기억!"

"기억…?"

"저승에서의 기억 지우고 갈래 아니면 그냥 갈래?"

"그게 선택할 수 있는 거였어요…?"

"아니, 원래는 안돼. 무조건 지우는 게 원칙이야. 근데 너희는 내가 너무 아껴. 나에게 소중한 애들이라 특별히 선택권을 주는 거야."

단의 말에 감동받은 태형은 고개를 숙여 고민하다 입을 열었다.

"…안 지울래요. 그냥 갈게요."

"저도 마찬가집니다. 안 지울게요."

두 사람의 대답을 들은 단은 환하게 웃으며 그들을 자신의 작은 품에 가두며 머리를 쓰다듬었다. 그리곤 그들에게서 떨어지며 따라오라고 명했다. 앞장서 가는 단의 뒤를 따른 두 사람은 멈춰 선 단을 따라 걸음을 멈췄다.

"자, 이제 이 길로 쭉 가. 뒤돌아보지 말고 말도 하지 말고 멈추지도 말고 그냥 앞으로만 걸어. 알았지?"

태형과 정국은 서로를 본 뒤 단을 보며 고개를 끄덕였다. 그리곤 앞을 향해 천천히 걸어갔다. 단의 옆에 잠시 멈춘 두 사람은 작게 속사였다.

"고마웠어요, 염라 대왕님."
"그리울 겁니다, 엄청."

이 말을 끝으로 두 사람은 계속해서 걸었고 반짝이는 빛으로 둘러싸이며 사라졌다.

외전2

"하아…"

"오셨습니까?"

"응…응?!! 나가 있으랬는데 왜 여깄어?"

"아, 죄송합니다. 잠시 놓고 간 게 있어서 들어왔는데 아무도 없길래.."

"아, 괜찮나. 남주나."

"네, 왜 그러십니까?"

지친 기색으로 자신의 의자에 거의 흘러내리듯 누워 있던 단은 자세를 고쳐 앉으며 아련한 눈을 하고 나지막하게 입을 열었다.

"애들 다 불러올래?"

"환생…이죠?"

단은 억지로 웃는 듯한 미소를 띠며 고개를 끄덕였다. 남준은 자리에서 일어서 단에게 인사를 한 뒤 먼저 가까운 곳에서 일하고 있을 <호석이의 희망 가득 한의원>으로 향했다.

똑똑－

"네에~"

안에서 들려오는 발랄한 목소리에 남준은 웃으며 문을 열었다.

"오오! 김남쥰! 어뜨케 이렇게 한가한 거 알구 찾아왔을까아?"

"염라가 너랑 석진이형님, 윤기형님 찾아오래."

"어? 아, 벌써 그렇게 됐나. 시간 참 빠르네."

단이 자신을 찾는 이유를 알겠다는 듯 시원섭섭하단 표정으로 남준을 쳐다보는 호석에 동의하듯 남준 또한 그러게 라며 대꾸했다.

"그나저나 환생하니까 처음 왔을 때 생각나네. 내 얘기는 대충

알 테고 너는?"

"나? 안 알려줬었나?"

반짝이는 눈으로 남준을 보며 강하게 고개를 끄덕이는 호석에 남준은 과거를 떠올리기 위해 눈을 감았다.

"나는 그냥 평범한 선비였어."

***

"아니 이게 누구신가. 나의 오랜 벗 아니더냐?"

"아니니까 가던 길 마저 가시오."

"우리 사이에 왜 이러시나. 섭섭하게."

"섭섭은 무슨… 오늘은 또 무슨 일인가."

"자네, 얼굴 좀 가까이서 보게 이리 와보시게나."

시전에 있는 한 주막에서 밥을 먹던 남준의 앞에 한 남자가 앉으며 그에게 말을 걸어왔다. 남준에게 말을 건 사내는 남준의 집안과 가까이 지내는 김씨 집안의 장남 '김석진'. 석진은 남준의 볼을 양손으로 잡고 자신의 코 앞에 오도록 팔을 당겼다. 당김과 동시에 석진의 코앞까지 딸려 온 남준은 얼굴을 구기며 석진의 볼을 치며 말했다.

"징그럽네. 치우게."

"역시… 내 눈은 틀리지 않았군. 나보단 아니지만 잘생겼어."

석진의 말을 무시하고 상위에 돈을 올려두고 나가려는 남준의 팔을 석진이 황급히 붙잡으며 자신과 함께 '명월관'에 갈 것을 제안했다. 제안이라기보단 구걸에 가까웠지. 함께 가기로 한 사람들 중 한 명이 못 간다고 했더라나 뭐라나. 이게 무엇이 문제가 되냐라고 한다면 '명월관'은 현재 조선에서 제일 가는 기생집 중 하나로 규모가 크고 평범한 기생집의 기생들과는 차원이 다른 신세계를 맛본다하는 곳이다. 이런 곳을 무려 3달 전 겨우 예약하여 가는 것인데 예약한 인원이 맞지 않으면 가차 없이 내쫓긴다는 것이다.

"아, 그런가? 그래서."

"그래서? 자네, 내 말을 듣긴 한겐가?"

"들었습니다. 인원이 부족하니 같이 가달라는 것 아닌가?"

"그래! 역시 자네는 잘생긴 데다 똑똑하기까지 하는군!"

"싫네."

"왜?"

석진의 제안을 거절한 남준은 주막을 나가 천천히 걸으며 주변을 구경했다. 그런 남준의 뒤에 붙어 포기하지 않고 설득하던 석진은 무언가를 결심한 듯 단단한 목소리로 외쳤다.

"자네가 그리 원하던 공자님의 자서를 빌려주겠네! 기간은 무제한!"

"..무제한?"

"그래! 무.제.한!"

그렇게 '명월관'에 도착한 석진과 남준, 윤기는 여인이 소개해주는 방으로 들어가 자리를 잡고 앉았다.

앉음과 동시에 인원에 맞게 기생들이 들어왔고 각자의 오른쪽에 앉았다. 남준은 불편한 표정을 숨기지 못하고 하지 못하는 술을 계속해서 들이키다 눈이 풀리는 지경에 이르렀다. 정신이 온전치 못함을 느낀 남준은 화장실을 간다고 하며 방을 빠져나와 벽에 기대어 주저앉았다. 밖이 아닌 안으로 들어가는 복도를 걸어 도착한 탓에 지나다니는 사람이 드문 곳이었다. 남준은 희미해지는 정신을 겨우 붙잡으며 눈을 떴다. 그리고 안에선 심각해 보이는 애기들이 오가는 것이 들려왔다.

"그게 정말입니까?"

"그래, 자네의 부탁인데 내가 거절할 연유가 있겠나."

"감사합니다!"

"그래. 그럼 이제 내가 어떻게 도우면 될지 구체적으로 말해보게."

"제가 운영하는 양귀비밭이 있는데 거기서 매달 첫째하고 닷

샛 날에 아편 양귀비를 뽑아냅니다. 저는 그것을 사용하여 환을 만들지요. 그리고 그것을 두통, 복통 등에 좋다고 하여 판매합니다. 그러니 제가 환을 만들어 전해드리면 저와 똑같이 말하시어 궁인들에게 전하시면 되옵니다.”

방안의 소리를 듣곤 술이 깬 남준은 소리가 나지 않도록 조심스럽게 일어나 자신이 있던 방으로 들어갔다. 자신을 기다린 듯한 기생은 남준의 팔을 붙잡으려 뻗었으나 남준은 팔을 빼며 윤기에게 귓속말을 했다.

“형님, 제가 좀 심각한 걸 들어버려서 그런데 시간 괜찮습니까?”
“그래, 나도 마침 나가고 싶던 참이었다.”

남준과 같은 처지로 끌려온 윤기는 남준의 말을 기다린 듯 급히 짐을 챙겨 나갈 채비를 했다. 그런 두 사람을 보던 석진은 눈을 동그랗게 뜨며 가게?! 라며 소리쳤다. 석진의 물음에 고개를 끄덕인 그들은 문을 열어 ‘명월관’을 나왔다. 아쉬움을 느낀 석진이었지만 혼자는 재미없을 거라 판단을 한 뒤 두 사람의 뒤를 따랐다. 그렇게 도착한 곳은 남준의 집이었다. 남준은 자신이 들은 모든 자초지종을 윤기와 석진에게 설명하였다.
생각보다 많이 심각한 상황에 석진은 말이 많아졌고 윤기는 반대로 말없이 깊은 고민에 빠져 있는 듯했다. 이들은 자신들이

해결할 수 있을까를 고민하다 결국 우리의 도덕, 윤리를 의인화한 남준의 해보자라는 주장에 동의하면서 양귀비 아편 방지 정책을 시작한다. 결과는… 실패. 처참히 실패했다. 여기서 처참히가 붙는 이유는 남준과 석진, 윤기 이 세 사람이 양귀비 아편을 퍼뜨린 용의자로 지목되어 옥에 갇혔기 때문이다. 용의자로 지목된 사유는 처음 궁에서 환을 퍼뜨리는 것을 돕겠다 한 자의 몸에 상해를 가한 것. 상해를 가한 그는 왕의 편애를 받는 위대한 자였고 이로 인해 처참한 결말을 맞이하게 된다.

***

"왜 울어."

"안 울어! 그게 사형까지 할 일이야? 너는 상해만 입혔다며!"

"그 나라 법이 그랬어. 높의신 분의 귀에 들리는 대로 판단하는 거. 진실은 알려고도 하지 않고 귀에 들리는 것들만 믿잖아."

눈물이 맺힌채로 남준을 보던 호석은 그에게 다가가 안으며 고생했어, 라고 말했고 남준은 그의 말에 쓸쓸히 웃을 뿐이었다.

"이제 가자."

"웅…아, 석진형님이랑 윤기형님도 데려가야 한댔지?"

"웅."

"석진형님은 나 어디에 있는지 알아. 내가 데려갈게."

"그래 줄래? 고맙다. 그럼 나중에 盛位館(성위관)에서 봐."

호석과 헤어진 뒤 서화산으로 향한 남준은 큰 나무가 있는 곳으로 자연스럽게 들어가 윤기를 찾았다.

"역시 여기 계셨군요."

"어어, 왔냐."

"네."

그늘에서 눈을 감고 누운 채 남준을 반기는 윤기에 남준은 그의 옆에 앉았다.

"왠지 형님은 예상하고 있을거라 생각했는데 맞나보네요."

"내가 이래 보여도 기간 약속은 잘 맞추거든."

"하하, 그랬었죠."

"여기에 있으면 시간이 멈춘 것 같은데 일만 나가면 많이 변해있는 곳을 마주해. 그때마다 그 뭐더라 인간이 현..타?라고 했던 것 같은데."

"윤기형님, 은근히 남의 말을 귀담아 들이시네요."

"은근히는 뭐냐."

서로 웃으며 옛날애기를 주고받은 두 사람은 이제 슬슬 일어나자 하며 서화산을 나왔다.

盛位館(성위관)에 도착한 남준과 윤기는 먼저 와서 염라와 대화 중인 석진과 호석을 반겼다.

"남주나."

"예, 왜 그러십니까."

"느려."

"…죄송합니다."

"힛, 장난이야~"

장난스런 표정으로 남준을 놀리던 단은 자리에서 일어나며 모여있는 네 사람을 둘러보았다.

"다들 눈치챈 모양이네?"

"이날만을 기다렸으니까."

"근데 쫌… 슬프다. 대왕님 옆에서 환자 돌보는 일 그리울 것 같애.."

말을 하며 울먹이는 호석에 분위기가 가라앉았다. 무거워진 분위기에 단은 일부러 밝은 목소리로 손뼉을 쳐 자신을 보도록 하였다.

"자! 오늘은 기쁜 날이잖아. 우울해하지 말고 나도 너네들 가는 거 좀 맘에 안 들거든? 그래도 어쩌겠어. 여기보단 환생한 새로운 삶이 너네들한테 더 좋을 걸 아는데. 먼저 석진이부터 차례대로 내 앞에 와."

단의 말에 석진은 차분한 걸음으로 단의 앞에 다가가 섰다.

"망자 관리자 김석진 환생!"
"응?"
"또또. 넌 왜 또 김태태랑 같은 반응인 건데?"
"아니..엄..환생 선언이 좀 간결하네요?"
"거창하게 하는 건 다 옛날 방식이야. 난 요즘 애답게 단도직입적으로 딱! 말해주는 거지."
"아.."
"다음!"

윤기도 석진과 같이 당황한 기색으로 단의 앞에 다가가 섰다.

"차사 민윤기 환생! 다음."
"대왕니임…"
"응, 호석아. 그만 울먹거리고 기쁜 마음으로 이 염라대왕님의 환생 선언을 듣도록 하여라아, 응?"
"네에…"
"의원 정호석 환생!"

호석의 환생 선언을 끝으로 남준도 다가갔지만 단은 그를 쳐다만 볼 뿐 입을 열지 않았다.

"…안 하십니까?"
"남주나."
"예."

　단은 커다란 눈으로 남준을 쳐다보다 팔을 벌려 남준의 목에 감았다. 남준의 어깨에 얼굴을 묻은 단은 남준만 들을 수 있을 크기로 말했다.

"고마워, 진짜 고마웠어. 보고 싶을 거야. 남주나, 나는 네가 너무 좋았어. 앞으로도 그럴 것 같아. 그니까 너도 나 절대 잊지 마."

　어느새 단의 볼을 타고 흐른 눈물을 보이며 떨리는 눈으로 남준을 마주한 단은 다시 입을 열었다.

"너는 선택권 안 줄래. 기억 지우지마. 나 기억해. 꼭 다시 만날 거야."

　남준은 애틋한 눈으로 저를 쳐다보는 단에 손으로 그녀의 머리를 쓰다듬었다. 그의 손길을 받던 단은 고개를 돌려 호석과 석진, 윤기를 쳐다봤다.

"너네는 기억 어떻게 할래?"

단의 질문에 세 사람은 고개를 저으며 지우지 않겠다는 의사를 표했다.

환생하는 길을 앞에 두고 떨어지지 않는 발걸음을 옮기며 담담한 척하는 석진과 윤기를 필두로 홀쩍이며 단에게 인사를 건네는 호석과 단에게 웃음을 지으며 기다리겠단 인사를 해준 남준이 빛에 감싸 졌다.

외전3

단은 멍하게 자리에 앉아 있었다. 지민을 먼저 환생시키고 나머지 애들까지 환생시키니 盛位館(성위관)과 瑚璉館(호련관), 腐蔑館(부멸관)이 너무 썰렁해 보였다.

환생한 7명을 대신해 그 자리에는 다른 사람들이 채워졌고 남준이 앉아있던 자리에는 다른 이가 앉아있었다.

"대왕님. 곧 재판가실 시간입니다."

"…그래."

원래 그 7명은 자신이 지은 죄를 다 청산하고 환생한 거나 마찬가지다. 난 저승의 관리자고 이 현상이 익숙해야 하는데 왜…

"대왕님, 또 누워계십니까?"
"나 졸려. 남주나. 구니까 네가 저거 대신 해!"
"그래도 하실 일은 다 하셔야죠…!"

"대왕님?"
"아무것도 아니다. 가자."

오늘도 여느 때와 다름없이 재판을 끝낸 단은 그 길로 바로
삼신에게 갔다.

"뭐여. 단이 네가 기별도 없이 어쩐 일이냐."
"할매… 나 외로워.! 정해진 순리대로 흘러가는 게 당연한 건
데 나 소위니랑 애들 보구 시퍼…"

단이 삼신에게 안기며 말을 했다. 삼신은 자신의 옷이 조금씩
젖어가는 것을 느끼고 단의 머리를 쓰다듬어 주었다.

"그렇게 보고 싶으믄 보러 가면 되지."
"보러 간다구.? 그렇지만 난 저승 관리자 인데.? 천계 관리자
가 우리 언니인데 그럼 나 말곤 저승 관리할 사람 없는 거 아
냐.?"
"옥황놈 자식만 관리자 하라는 법이 있는 겨?"

"그곤 아니지만…"

"지금 가들 없는 자리에 다른 아들이 채워졌잖여. 네 자리도 고렇게 채워질 수 있을지 누가 알어."

단은 고맙다며 삼신을 한번 꽉 껴안고는 바로 옥황, 자신의 아빠가 있는 곳으로 걸음을 옮겼다.

삼신이 있는 곳에서 멀지 않은 곳에 옥황이 살고 있는 궁이 있었다. 단은 노크도 없이 문을 벌컥 열었다. 그에 놀란 옥황은 다급히 큰 단지 하나를 끌어안았다.

"아빠 뭐 해?"

"…아무것도 아니다."

단의 머리 위에 물음표가 여러 개 떠있자 옥황은 헛기침을 하며 단지를 옆으로 쓱 밀어두었다. 단은 옥황의 앞으로 다가가다가 폐로 훅 치고 들어오는 술 냄새에 인상을 찌푸렸다.

"술 마셨어?"

"그건 어린 네가 상관할 일이 아니다.! 큼. 어쨌든 여긴 아무 기별도 없이 어쩐 일이냐."

"아빠, 나 환생시켜 줘."

"그래. 환생시켜 줄… 뭐?!"

"환생시켜달라고. 나 이승에서 소워니랑 애들이랑 살래."

옥황이 뒷목을 잡고 인상을 찌푸리든 말든 단은 오직 자신의 요구만 늘어놓을 뿐이다.

그때 문에서 노크 소리가 들리더니 단의 언니, 천계의 관리자가 들어왔다.

"아바마마께 문을 올리옵니다. 밤새 강녕하셨습니까."

"..그래. 네가 여긴 어쩐 일이냐."

"단이와 함께 계신다는 소식을 들어서요. 오랜만에 단이 얼굴도 보려고 겸사겸사 들렸습니다. 헌데, 안색이 안 좋아 보이십니다."

옥황이 입을 떼려고 했지만 단이 더 빨랐다.

"언니. 나 환생시켜 줘."

"어머, 웬일로 날 언니라 불러주는구나. 그래, 뭐 때문에 환생하고 싶다는 거니?"

옥황이 자리에서 일어나려 하자 단의 언니인 솜이 그런 자신의 아버지를 말렸다.

"아니… 소워니랑 정이 많이 들기도 했구.. 다른 애들도 보고 싶어서…"

"그렇지만 그 애들을 환생시켜 준 것은 너잖니."

"환생은 죗값을 다 치르면 해줘야 하는 게 맞자나. 그래서 안 할 수가 없었어…"

한동안 솜과 단 사이에서는 적막이 흘렀다. 둘의 대화를 듣고 있던 옥황이 한숨을 쉬며 말했다.

"..네가 환생을 해버리면, 그 자리는 누구에게 물려줄 것이냐."

"盛位館(성위관)에서 유능한 아이가 하나 있어. 늘 내가 재판하는 모습이나 일 처리 하는 걸 옆에서 지켜보기도 했던 아이야."

"네가 믿음이 간다고 확신하는 걸 보니 맡겨도 되겠구나."

옥황이 자리에서 일어나자 솜이 말했다.

"아버지! 진짜 단이를 이승에 보내실 생각이신 겁니까?"

"이 이상 저 아이를 붙잡아 두는 것은 내 욕심이겠지."

옥황이 단을 꼭 끌어안았다. 깜짝 놀란 단은 발버둥을 쳤지만 이내 잠잠해졌다. 그러곤 자신의 아버지 품에 몸을 맡겼다.

"내가 네게 못난 아비였을까 봐 늘 걱정했다. 내 생각만 하느라 네게 소홀했던 것도 많았을 것이야."

"..아니야. 아빠 잘 해줬어. 아빠도 아빠가 처음이었잖아."

옥황은 눈꼬리에 맺힌 눈물을 살짝 닦았다.

"이승에서도 잘 살 수 있겠지?"
"당연하지! 고마워!!"

단이 기뻐서 방방 뛰는 것을 뒤에서 지켜보던 솜이 또한 못 말린다는 미소를 지었다.

"아참 아빠! 나 소워니랑 동갑으로 해주고 기억은 지우지 말고 환생시켜 줘!"
"…? 그럼 환생이 아니지 않느냐."
"아니야, 난 지금 5천 살이 넘었잖아! 이 나이는 이승에선 이미 죽은 사람이라구!"
"알았다.."

옥황이 까다롭단 듯이 인상을 찌푸리자 단과 솜은 그런 아버지를 보고 웃었다. 그러다 옥황의 손에서 밝은 빛이 나왔다.

"여기서 지켜보고 있을 테니 내 도움이 필요하거든 언제든 부르거라."
"됐거든? 알아서 잘살아 볼게! 그럼 언니랑 아빠 안녕!"

그렇게 단의 형체는 사라졌다.

한동안 그 자리에 머무르고 있던 솜은 저승에 소식을 알리러 가겠다며 자리를 떠났다. 옥황은 고개를 끄덕이곤 아까 단이 갑자기 들어와 마시지 못했던 술 단지를 꺼내 한 사발을 들이켰다. 그랬음에도 걱정은 쉬이 사라지지는 않았지만 옥황은 자신의 딸이라면 이승이라도 잘 살아갈 것이라고 믿었다.

***

단이 눈을 떠 보니 자신의 옷은 교복이었고 큰 건물들 사이에서 우뚝 서 있었다.

옥황이 자신을 환생시키며 이승에 관한 기억도 넣어 주었는지 상황 파악하는 데 오랜 시간이 걸리진 않았다.

주위를 스윽 둘러보자 '남준 회계사무소'라고 되어있는 간판을 발견하곤 급히 그 건물을 향해 걸음을 옮겼다. 계단을 타고 3층으로 올라가니 큰 문 하나가 있었다. 문고리를 조심히 돌리니 익숙한 목소리가 단을 반겼다.

"무슨 일 때문에 오셨…"
"남주나!!"
"대왕님??"

서류에 시선을 고정하고 있던 남준의 고개가 위로 올라와 출입문을 바라보자 단이 서 있었다. 교복에 가방을 메고 있는 염라가.

"근데… 그 꼴은 뭡니까? 여긴 어떻게 오신 겁니까?"

남준이 자리에서 일어나 단에게 다가가자 단은 남준에게 가방을 건네곤 소파에 앉았다.

"나도 환생했어!"
"예? 그게 가능한 일이었습니까?"

남준이 당황해 말하자 단은 고개를 끄덕였다.

"근데 왜 교복을…"
"응? 아, 내가 아빠한테 소워니랑 동갑으로 환생시켜 달라구 했거든!"
"그럼 지금 학교에 계셔야 하는 거 아닙니까?"

단은 남준이 가져다준 오렌지 주스를 홀짝이며 말했다.

"몰라. 눈 뜨니까 요기야. 그나저나 소워니랑 다른 애들은?"
"인간.. 아니 소원이는 오늘 졸업식이라고 했고 지민이는 소원이 졸업식에 간다고 했어요. 그리고 나머지 애들은 일하죠."

"구럼 난 뭐하지.?"

단이 시무룩해 있자 남준은 단의 교복을 유심히 봤다.

"설마 했는데… 그 교복. 지천고 교복 아닙니까?"

"웅? 어, 맞는 것 같애! 요기 '지천고'라고 적혀 있어!"

남준은 책상 위에 올려둔 차키와 단의 가방을 챙겼다.

"오늘 졸업식이고 대왕님도 그 학교 학생, 게다가 소원이와 동갑이라면 대왕님도 오늘 졸업하시는 거 아닙니까?"

"에? 그렇게 되는 거야?"

"저희가 환생했을 때는 그런 스토리들은 다 짜여져 있었거든요. 혹시 모르니까 빨리 가요!"

"남주나아! 같이 가!"

그렇게 남준은 풀 악셀을 밟아가며 지천고로 향했다. 재빨리 주차를 하고 학교 입구에 들어서니 졸업하는 학생들이 학기 중에 만든 것들을 복도 곳곳에 전시해 둔 것이 보였다.

남준은 많은 인파 속에서 단을 놓치지 않기 위해 한 손으로 단의 손을 꼭 잡은 채 작품들 중에서 단의 이름을 찾아다녔다.

"찾았다. 3학년 2반 강단."

"응? 나 뭐?"

마침 작품이 전시된 곳이 3학년 2반 바로 앞이었다.

"대왕님."

"응!"

단이 너무 크게 대답한 탓일까 사람들의 시선이 몰리자 남준이 목소리를 조금 낮추며 말했다.

"일단 저 교실로 들어가세요. 그럼 저 앞에 서 있는 사람이 어떻게 행동해야 하는지 알려줄 겁니다."

"뭐.? 너는!"

"저는 계속 염라… 단님을 지켜보고 있을 테니 걱정 마세요. 어서 들어가세요."

남준은 주위를 의식해 호칭을 다르게 했고 단은 눈치껏 고개를 끄덕이며 교실 안으로 들어갔다. 남준은 단이 걱정되어 강당으로 가지 못하고 복도를 계속해서 서성이고 있는데 교실 안에서 단의 해맑은 웃음소리가 들렸다.

'역시… 친화력 하나는 갑이시라니까.'

남준은 씩 웃으며 강당 쪽으로 걸음을 옮겼다. 강당으로 향하는 바깥쪽 계단 입구에서 꽃다발을 팔고 있는 것이 보였다. 이에 남준은 미소를 지으며 단을 닮은 흰색과 노란색이 어우러진 꽃다발을 하나 사서 손에 들고 계단을 올라갔다.

강당에 들어서니 학부모들이 가득했다. 저마다 남준의 얼굴이 잘생겼다고 수군거려도 남준은 아랑곳하지 않고 제일 앞줄 중간에 가서 섰다. 손에 들려있는 꽃다발이 무사한지 한번 확인 하고는 아직 학생들이 들어오지 않아 텅텅 빈 강당 앞쪽을 바라봤다.

"언제 시작하는 거지?"

"12시에 시작한대요."

"아, 감사합… 어?"

"어.. 형?"

"네가 왜 여기… 아 오늘 소원이 졸업이기도 했지?"

자신의 옆에 서 있는 지민을 바라보며 이야기하자 지민이 웃으며 남준에게 말했다.

"형은 시간 안 된다더니 갑자기 왜 왔어요?"

"염라가 오늘 환생했어."

"네?? 염라가요??"

"그래. 염라가 옥황한테 소원이랑 동갑으로 환생시켜달라고 했었나 봐."

"그럼 형은 염라 졸업식 온 거네요? 난 또. 저녁에 다 모이기로 했는데 왜 왔나 했네."

"넌 안 바쁘냐?"

"오늘 하루 월차 냈어요."

"너 아직 그 회사 1년도 안 다니지 않았냐.?"

남준이 황당해하며 말하자 지민이 어깨를 으쓱이며 말했다.

"뭐 어때요. 내가 회장 아들인데."

그때, 강당 앞문으로 3학년 학생들이 1반부터 차례대로 들어왔다. 물론 그중에서는 소원이도 있었다. 소원이 지민과 남준을 발견하곤 해맑게 웃으며 손을 흔들었다. 그에 지민이 따라 손을 흔들어주니 소원의 볼이 발그레 해졌다.

"어떡해.. 귀여워.."

"우리 딸이 좀 귀엽긴 하지?"

갑자기 뒤에서 들려오는 소리에 뒤돌아보자 소원의 엄마와 아빠가 서 있었다.

"어머님, 아버님! 안녕하셨어요?"

"아이구 우리 소원이 졸업식에 온 거야? 고마워라. 오늘 저녁에 소원이 그쪽 만나러 가는 거죠?"

"ㄴ..넵."

"우리 소원이 잘 부탁하고 조심해서 놀아요."

소원의 엄마와 아빠는 사람이 너무 많아 널널한 뒤쪽에서 보겠다며 다음에 또 보자는 인사와 함께 멀어졌다.

"후… 깜짝 놀랐네."

"넌 어쩌다 소원이 부모님까지 알게 된 거냐."

"…그러게요. 그때 혼인 이야기만 안 꺼냈어도 완벽했는데…"

남준은 지민이 또 정신 못 차리고 이상한 소리를 했음을 직감하고 2반이 들어오길 기다렸다.

잠시 후, 2반이 들어오자 남준은 단을 찾기 위해 눈동자를 이리저리 굴렸다. 그러나 '강씨'여서 그런지 열심히 찾았던 것에 무색하게도 맨 앞에 서 있는 단을 발견하자 남준이 어이없게 웃었다.

"정신 못 차리는 건 나도 마찬가지네."

'저렇게 해맑게 웃고 계신 게 귀엽게 느껴지는 걸 보면.'

그렇게 한명 한명씩 졸업장을 받고 졸업식이 끝나자 단이 남준 쪽을 보더니 환하게 웃으며 달려왔다. 그 모습에 남준은 심장이 빠르게 뛰기 시작했다. 자신도 모르게 양쪽 팔을 벌리고 있던 남준은 자신을 지나쳐가는 단에 당황하며 단이 향한 곳을 바라봤다.

"소원나!!"
"언니?! 언니가 왜 여기에 있어요?"
"나두 환생했어어!! 그리구 나 이제 너랑 동갑이야! 구니까 이제 단이라고 불러!"

단이 소원을 안고 헤실헤실 웃는 모습을 지켜보던 남준은 왠지 모르게 짜증이라는 감정이 솟구쳤다. 단을 보다가 지민을 보니 지민도 자신과 같은 감정인지 표정이 자신과 비슷한 것 같았다.

"어라? 지민이랑 남주니 표정이 왜 구래? 둘이 표정이 똑같애!"
"지민님 혹시 질투해요?"

소원이 짓궂게 웃으며 지민을 흘겨보자 지민의 귀 끝이 붉게 물들며 아니라고 고개를 연신 저어댔다. 그 광경을 보며 남준은 알게 되었다.

'아, 저승에서부터 시작된 이 이상한 감정은 사랑이었구나.'

남준은 저를 향해 무해하게 웃어 보이는 단을 향해 싱긋 웃었다. 물론 단은 '*남주니가 이상해져써!!*' 하며 귀신이라도 본것마냥 펄쩍펄쩍 뛰어 댔지만 말이다.

외전4

그렇게 몇 년 후, 많은 것들이 바뀌었다.

"오빠! 나 오늘 단이 만나고 올 거니까 나중에 세탁기 다 돌아가면 빨래 좀 널어줘!"

"알았으니까 넘어지지 말고 조심해서 다녀와."

소원은 현관에서 급히 신발을 신었다. 지민이 소원의 흐트러진 겉옷을 바로 해주자 소원이 고맙다며 지민의 볼에 뽀뽀를 했다. 그러자 지민이 입이 소원의 입술로 향하는 순간 소원이 손으로 지민의 입을 막았다.

"나 나갈 땐 안된다니까? 나중에 저녁에 해."

소원이 지민의 입에서 손을 떼자 지민이 웃으며 말했다.

"그래, 네 말대로 저녁에 하자. 기다릴게?"

지민이 능글맞게 웃으며 이야기하자 소원은 급하게 현관문을
열고 나왔다.

"아오. 예전엔 안 저랬는데… 역시 결혼하면 변한다는 말이 진
짜였어."

소원이 엘리베이터를 타고 지하로 내려가 주차해 둔 차에 몸
을 실었다. 그때 단에게서 전화가 왔다. 소원은 핸드폰을 블루
투스에 연결해 귀에 곳고 시동을 걸었다.

"여보세요?"

－응! 어디야?

"나 이제 곧 출발해."

－또 박지민이랑 실랑이한다구 늦었찌?

"아니거든! 우리 맨날 가는 엘버스 카페 맞지?"

─마쟈! 내가 먼저 도착 할 것 같아서 주문 먼저 해 놓을게!
넌 아.아?

"엉! 얼른 갈게!"

─웅! 조심해서 와!

소원은 블루투스를 귀에서 빼고 기어를 해제해 악셀을 부드럽
게 밟아서 주차장을 빠져나왔다.

그렇게 30분가량을 운전한 끝에 카페 주차장에 차를 주차시켜
두고 안으로 들어갔다. 안으로 들어가 두리번거리자 단이 자신
을 향해 여기라며 손을 흔들고 있는 것이 보였다. 소원은 세월
이 지나도 여전히 한결같은 단에 미소를 지으며 테이블 쪽으로
걸어갔다.

"그래두 빨리 왔네?"
"다행히 차가 안 막혀서. 넌 올 때 차 안 막혔어?"
"조금 막히긴 했는데 괜찮았어!"

단이 오렌지 주스를 빨대로 마시며 말했다.

"아 맞다. 잊기 전에 4.500원 보내 줄게."

소원이 핸드폰을 꺼내 들자 단이 고개를 저었다.

"그고 남주니가 사는 거야! 너랑 같이 먹으라구 사주고 갔어!"
"남준님이? 그럼 남준님이 너 데려다 준 거야?"
"웅! 이것 봐봐! 귀엽지!"

단이 헤실헤실 웃으면서 자신의 핸드폰 배경 화면 화면을 보여줬다.

"...?"
"같이 놀이공원 갔는데 모자 쓰구 바이킹에서 만세 하는 남주니! 너무 귀여운 것 같애.. 그리구 잘생겼어.."
"..."

=문제의 사진

소원의 표정이 일그러져 있는지도 모르는 단은 아예 갤러리에 들어가 찍은 사진을 하나하나 소원에게 설명해 주기 시작했다. 처음엔 당황스러워하던 소원은 체념한 채 고개만 묵묵히 끄덕이고 있었다. 30분 넘게 남준의 이야기를 한 단은 마카롱을 집어 먹으며 넋이 나가 있는 소원에 고개를 갸웃했다.

"너 왜 그러고 이써?"
"아무것도 아니야… 우리 오늘 어디 가기로 했지?"
"쇼핑!! 나 반팔 사야 해!"
"나도. 작년에 결혼하고 이사하면서 안 입는 옷들을 다 버려서 그런지 입을 옷이 없어."
"그럼 빨리 가자!"
"야! 천천히 가! 차키는 나한테 있다고!"

소원이 빈 잔과 접시를 카운터에 가져다 두곤 급하게 단을 따라 나갔다. 단은 이미 소원의 차 앞에서 대기하고 있었다. 주차장이라 더웠는지 방금 카페를 나갔음에도 불구하고 인상을 찌푸리며 햇볕을 가리고 있는 모습을 보다 보니 웃음이 나왔다.

"빨리 열어줘! 더워!"
"자자. 열었다."

그렇게 소원과 단은 백화점으로 향했다. 오랜만에 만나 같이 쇼핑을 하니 소원은 정말 즐거웠다.

시간 가는 줄 모르고 쇼핑을 하다보니 어느새 해가 지고 있었다. 소원과 단이 뒷좌석에 쇼핑백들을 밀어 넣고 시동을 걸자마자 에어컨부터 틀었다.

"와.. 주차장 인간적으로 너무 더운 거 아니야…?"
"구니까…"

소원이 차 시트에 녹아 내릴 듯이 흐물거리자 단이 에어컨 세기를 더 높이며 말했다. 그렇게 시간이 지나고 차 안이 시원해지자 소원이 눕혀 놨던 의자를 바로 한 뒤 벨트를 맸다.

"단아 너 연화로 사거리에서 내려주면 된다고 했었지?"
"웅! 남주니랑 술 마시기로 했어!"

소원은 고개를 끄덕이며 기어를 풀고 주차장을 빠져나와 사거리에 단을 내려줬다. 먼저 도착해 있던 남준과 간단하게 인사를 나눈 소원은 집으로 향했다. 도어락 비밀번호를 누르고 들어가자 TV소리가 들리더니 주방에서 지민이 나왔다.

"왔어?"
"엉. 잘 있었어?"

소원이 소파에 가방과 쇼핑백을 올려두고 지민을 안았다.

"잘 있었지. 밥은?"
"백화점 안에서 먹었지."
"나랑 와인 한잔할래?"
"우리 집에 와인이 있던가?"
"우리 회사 창립 기념 선물로 들어온 거 있어."
"아 그 대환에 김강현씨가 주신 거?"
"맞아. 일단 씻고 와. 세팅해 놓을게."
"응!"

소원이 안방에서 씻고 나오자 식탁에는 치즈와 와인이 세팅팅
되어 있었다.

"뭐야. 빨리 준비했네?"
"이 정도는 이제 쉽지."

지민이 코르크를 따서 와인을 잔에 따랐다. 소원은 와인이 다
따라진 잔을 들고 지민이 들고 있는 잔에 가져다 대자 쨍− 하
는 소리가 주방에 울려 퍼졌다.

"에어컨에 와인까지 있으니까 살 것 같다."

"소원아 나는?"

"오빠는 당연한 거고."

소원이 씩 웃으면서 와인을 마시자 지민이 치즈를 소원의 입에 넣어 주었다.

"우리 여름 휴가 때 어디로 여행 갈까?"

"음.. 오랜만에 바다 어때? 바다 못 본 지도 꽤 됐잖아."

"좋은데? 그럼 부산 어때?"

"그럼 광안리 가자! 나 가보고 싶었어!"

"그럼 그 근처로 리조트 잡을게."

"와! 기대되.."

소원이 광안리 주변 맛집을 검색하는 모습을 본 지민은 이럴 때 단과 많이 닮은 것 같다는 생각을 하곤 했다. 그리고 이번 여름 휴가 때 지민에겐 목표가 하나 있었으니.. 그건..

"우리 여기 기념품 샵도 꼭 가자! 그리구 이 횟집도 유명하대! 그리구 밤에는 길거리 버스킹도 보자!"

머릿속이 온통 놀기로 가득 차 있는 제 부인과 첫날 밤을 보내는 것. 곧 있으면 결혼한 지 1년이 다 되어가는데 신혼여행 첫날 밤 자신이 씻고 나오니 소원은 이미 꿈나라로 떠나있었다.

그 뒤로도 분위기를 만들어 보려고 했으나 해맑고 순수한 소원의 성격 탓에 매번 실패를 했었다. 지민은 이번에야말로 꼭 성공시킬 것이라며 치즈를 우적우적 씹었다.

"오빠 뭐함?"
"…아무것도 아니야."

그렇게 시간이 흘러 휴가를 보내는 날이 되었고 두 사람은 광안리 바닷가에 와 있었다. 그런데 왜…

"소워나!"
"응? 소원이?"

전직 염라와 남준부터 시작해서,

"어? 형?"
"지민이? 어! 소원이다!"
"와 오랜만이다!!"
"…"
"이야 여기서 다 만나네! 운명인가?"

차례대로 정국, 태형, 호석, 윤기, 석진까지 만나게 되어 버렸다.

"소워니도 휴가 온 거야?"

"엉. 근데 나머지 5분은 다 같이 오신 거에요?"

소원이 말하자 석진이 말했다.

"뭐 여친도 없는 솔로들 끼리 여행 한번 가려고 온 건데 커플을 둘이나 마주쳐서 아주 슬프지 뭐니."

석진이 소원을 맑은 눈의 광인마냥 바라보고 있자 소원이 당황해하며 말했다.

"설마 우리 때문이라고 하고 싶은 건 아니죠?"

"어떻게 알았대."

"아오 진짜. 그래도 오랜만에 다 같이 모이니까 저승 생각도 나고 좋네요."

"이렇게 된 거 오늘 하루는 같이 다닐까?"

호석이 해맑게 이야기 하자 모두 좋다며 고개를 끄덕였고 그 사이에서 웃지 못하는 유일한 사람은 지민이었다.

'결혼하고 첫 휴가인데..'

"오빠! 빨리 와!"

뭐 어쩌겠는가. 소원이 저렇게 좋아하는데.

"같이 가!"

오랜만에 모인 9명은 바닷가에서 광안대교를 배경으로 사진을 찍기도 하고 회도 먹고 다 같이 사진도 찍으며 알찬 시간을 보냈다. 그러다보니 숙소로 돌아오자 벌써 8시가 되어있었다.

"오빠. 여기 리조트 진짜 좋은데? 예약 잘했다!"
"여기 옥상에 수영장 있대. 같이 가 볼래?"
"좋아! 기다려봐! 나 옷 좀 갈아입고 올게!"
"천천히 해."

소원이 옷을 갈아입고 나오자 지민은 급히 다른 곳을 바라봤다.

"옷이 왜…"
"이거 백화점에서 단이가 골라준 건데? 요즘 이런 수영복이 트렌드래!"

소원이 입은 수영복은 파란색 비키니였다.

"위에 남방이라도 걸쳐."

"아 왜애~ 이 상태로 갈래애, 응?"

소원이 지민에게로 다가와 계속 치댔다. 지민은 결국 한숨을 쉬며 알겠다고 했다.

"아싸! 빨리 가자!"

옥상에 있는 수영장에서 사람들은 도란도란 이야기를 나누고 있는 커플들이 대다수였다. 소원도 한참 물장난을 치더니 피곤하다고 선베드에 누워있던 지민에게 다가왔다. 지민은 큰 타월로 소원의 몸을 감쌌다.

"이만 방으로 갈까?"

"가자. 나 추워."

엘리베이터에 타고 지민과 소원이 머무르고 있는 6층까지 내려가는 길에 12층에서 엘리베이터가 멈추더니 건장한 남성들 여러 명이 타는 것이 아닌가. 지민은 순간 당황하여 소원을 가리고 엘리베이터 구석으로 자리를 옮겼다. 이 와중에도 사람들은 계속 타고 있었고 소원과 지민의 몸은 더 밀착되었다.

"…"

"…"

그렇게 6층에서 멈추자 지민은 소원을 데리고 부랴부랴 내려 룸 안으로 들어왔다. 어색한 분위기를 뚫고 소원이 말했다.

"그으럼.. 나 먼저 씻고 올게!"

"..같이 씻을래?"

"뭐.?"

"우리 부부잖아. 이젠 미자도 아닌데?"

그렇게 말하며 지민은 이미 상의부터 옷을 벗고 있었다. 지민 이 소원이 두르고 있던 타월을 내리고 입을 맞췄다. 소원의 손 이 지민의 목을 휘감았고 지민의 손은 소원의 허리를 향했다.

"우리 신혼여행 때 너 먼저 잠들었던 거, 기억하지?"

"아니…! 그땐 비행기도 타고 관광하느라 피곤해서 그런 거 지!"

"그럼 오늘은 괜찮지?"

"내가 잠들면 어떻게 할 건데?"

소원의 말에 지민이 웃으며 소원의 쇄골에 입을 맞췄다.

"어차피 못 잘걸? 내가 안 재울 거거든."

***

커튼 사이로 햇빛이 들어오자 지민이 눈을 떴다. 옆을 바라보자 아직 곤히 자고 있는 소원이 보였다. 소원의 머리카락을 만지작거리고 있으니 소원이 살며시 눈을 떴다.

"잘 잤어?"
"응… 근데 아직 졸려.."
"더 자."

소원이 이불속에서 꼬물거리며 지민을 끌어안자 지민은 소원의 등을 토닥여 주었다. 그러다 소원이 다시 잠에 들자 침대에서 조심스레 내려온 지민이 바닥에 널브러져 있는 옷들을 치웠다. 그러곤 시간이 흘러 곧 체크아웃 할 시간이 다가오자 소원을 부드럽게 깨웠다.

"소원아, 일어나."
"우웅.."

소원이 일어나려고 하다가 인상을 찌푸리며 다시 침대에 누워버리자 지민이 왜 그러냐며 물었다.

"우씨 오빠 때문이잖아. 어쩔 거야!"

"엎드려봐. 마사지해 줄게."

소원이 엎드리자 지민이 소원의 허리를 꾹꾹 눌렀다. 소원은 아프다고 발버둥 치면서도 딱히 손길을 제지하지는 않았다. 그런 소원의 모습에 한번 씩 – 웃은 지민은 그대로 소원을 안아서 욕실로 향했다.

"오빠? 따뜻한 물로 푸는 게 더 나아."

"근데 오빠는 왜 들어오는데!"

"뭐 어때, 어제 이미 다 봤잖아."

"나 아직 허리 아프다고!"

"난 풀어준다고 했는데? 우리 소원이가 무슨 생각을 한 걸까?"

소원이 얼굴이 빨개지며 말을 더듬자 지민이 웃었다.

"네가 원하면 한 번 더 하고."

"돼…됐거든!"

두 사람은 결국 체크아웃 시간을 맞추지 못하여 리조트를 빠져나왔다.

***

그렇게 휴가를 갔다 오고 1달쯤 넘어가던 날 지민과 함께 본
가에 가기로 했다.

"오늘 우리 엄마 생일이라고 이렇게 준비한 거야?"
"왜? 이상해? 혹시 장모님이 이런 스타일 안 좋아하셔서?"
"아니. 멋져. 오빠는 뭘 입어도 멋지고 잘생겼어."

소원이 지민의 볼에 입을 맞추며 말을 하자 지민이 웃으며 쇼
핑백들을 챙겼다.

"늦기 전에 가자."

차로 조금만 가니 곧바로 소원의 집에 도착했다. 도어락 비번
을 누르고 들어가니 소원의 엄마와 아빠가 반갑게 맞이해 주었
다. 지민이 쇼핑백들을 건네자 소원의 엄마의 얼굴에 웃음꽃이
피어났다.

"아이구 뭐 이런 걸 다 사왔어!"
"엄마 그 웃음은 집어넣고 말해."
"시끄러. 넌 이런 거 사 온 적 있었냐? 우리 박 서방이 복이

네, 복이야!"

"소원아, 난 우리 딸 편이다. 우리 딸이 네 엄마랑 나 건강하라고 영양제를 얼마나 사다 줬는데."

"아빠아…"

"아참, 아버님 것도 있습니다. 이건 '임페리얼 골드'라는 양주인데 저번에 해외지사에 잠깐 출장 갔을 때 제가 아버님 생각해서 사뒀었습니다."

"딸내마. 우리 박 서방을 좀 보고 배워. 인물도 훤칠하고 씀씀이도 태평양인 것이 너랑 너무 차이 난다."

소원은 지민을 째려봤다. 그 눈빛을 인식하진 못했는지 지민은 연신 웃기만 하고 있었다.

"아이고 내가 귀한 사람을 너무 오래 세워뒀네! 얼른 들어와요!"

지민과 소원이 식탁에 앉자 식탁 위에 차려진 반찬들을 보고 당황했다.

"이걸 엄마가 다 했다고.?"

"오랜만에 실력 발휘 좀 했지~ 어서 먹어!"

소원이 미역국을 한 숟가락 먹자 속에서 역한 느낌이 들었다.

“윽.”

“왜 그래. 괜찮아?”

지민이 밥을 먹다가 깜짝 놀라 소원의 등을 토닥여 주자 소원은 괜찮다며 웃어 보였다. 소원이 숟가락을 내려놓고 갈비찜을 들어 입 앞으로 가져오고 냄새를 맡자마자 또 역한 느낌이 들었다.

“아, 왜 이러지?”

소원이 가슴을 두드리자 소원의 엄마가 말했다.

“너희 잤니.?”

“아니…?! 아니거든! 이건 그냥 오늘 몸이 안 좋아서 그래.”

“그래? 그럼 말고. 꼭 내가 너 가졌을 때랑 똑같아 보여서.”

엄마의 말에 지민과 소원의 눈빛이 마주쳤다.

‘오빠?’

‘진짜인가?’

“뭐해? 어서 먹어. 소원이는 속 안 좋으면 나중에 죽 끓여줄게."

"아냐. 죽은 집에 가서 먹지 뭐."

소원은 잠시 방에 들어와 있었다. 그러다 10분이 채 되지 않아서 노크 소리와 함께 지민이 들어왔다. 지민이 과일을 가지고 들어왔다. 소원은 과일을 입에 넣기도 전에 헛구역질을 했다.

"아.. 진짜 왜 이러지.?"

"일단 집에 가자."

지민이 소원의 짐을 챙기고 방에서 나오자 엄마와 아빠는 걱정이 가득한 얼굴로 두 사람을 배웅했다. 소원은 혹시 모르는 마음에 집에 가는 길에 약국에 들러 임신 테스트기를 샀다. 지민은 차 안에 있었기에 소원이 뭘 샀는지 지민은 알지 못했다. 소화제를 산 것으로 알고 있는 지민은 집에 도착하자마자 죽을 끓여 주었다. 다행히 죽은 괜찮은지 잘 넘어가서 다행이라며 지민이 안도의 한숨을 쉬었다.

소원은 죽을 다 먹고 조용히 화장실로 가서 임신 테스트기를 사용해 봤다. 그런데…

"2줄…?"

혹시 몰라 사 온 다른 회사 제품들로 여러 번 테스트를 해봐도 결과가 같았다. 소원이 당황해하고 있을 때 지민은 10분이 넘어가도 나오지 않는 소원에 걱정이 되어 화장실 문을 두드렸다.

"소원아, 괜찮아?"
"..어! 괜찮아. 나갈게."

소원은 급하게 임신 테스트기를 숨기고 화장실을 나갔다. 그러곤 급하게 호석에게 연락을 했다.

[호석님, 혹시 아시는 산부인과 의사분 있어요?]
[왜? 혹시 아파?!]

메시지에서 느껴지는 호석의 호들갑에 오히려 소원이 놀라 급히 답장을 넣었다.

[아니에요. 그냥 요즘에 너무 안 가서요. 오빠 걱정하니까 오빠한텐 말하지 마요!]
[아 알겠엉~]

그러고 잠시 후, 호석에게서 병원 이름과 함께 의료진 이름까지 문자로 보내줬다. 소원은 바로 전화를 했다. 다행히 오늘 진료를 한다는 말에 예약을 잡고 집을 나왔다. 지민이 따라 나오려 했지만 산책을 가는 것이라며 제 남편이 따라 나오기 전에 재빨리 집을 나왔다.

***

지민은 3시간이 지나도 들어오지 않는 소원에 찾으러 가야겠다고 생각하며 옷걸이에 걸어 두었던 옷을 주섬주섬 입고 있었다. 현관에서 신발을 신고 있자 왠지 영혼이 반쯤 빠져나가 버린 듯한 소원이 비척비척 들어왔다.

"..소원아!"
"오빠아.."
"왜 이제와! 얼마나 걱정한줄 알아?"

지민이 짐짓 엄하게 이야기하자 소원이 주머니에서 사진을 하나 꺼내 지민에게 건넸다.

"이게 뭔데.?"

지민은 보고도 믿기지 않는지 되물었다.

"오빠 아빠 됐대!"

지민은 그제야 활짝 웃으며 고생했다며 소원을 끌어안았다.

"아까 그런 건 입덧이었나 봐."
"그럼 방금 전에 산부인과 갔다 온 거야?"
"엉!"

소원의 해맑은 대답에 지민이 아프지 않게 소원의 이마를 때렸다.

"바보야. 혼자서 앓지 마라고 했지?"
"헤헤, 오빠 걱정할까 봐 그랬지."
"진짜 고마워.. 내가 앞으로 더 열심히 먹여 살려야겠네."
"나 먹고 싶은 거 다 먹어도 돼?"
"우리 소원이 먹고 싶은 거 다 먹어. 나 그 정도 능력은 된다?"

소원은 좋다고 웃으며 지민에게 안겼다. 지민도 웃으며 소원의 뒷머리를 쓰다듬었다.

"내가 평생 책임질게. 사랑해 소원아."
"나도, 사랑해."

　『비녀(簪)』 외전 Fin 2024 . 01 . 03 . Wen

작가의 말

Seo You & Ari - 작가의 : 읽어주셔서 감사합니다!